CON NICARAGUA

Homenaje al pueblo nicaragüense

ENDYMION
Editorial Ayuso

Endymion
Diseño gráfico: L. Romeo
Dibujo de la Portada: Rafael Alberti
Montaje y corrección de textos:
Guillermina Krause

© Editorial Ayuso
C/ San Bernardo, 48
28015 Madrid
ISBN: 84-336-0246-2
Depósito Legal: M-29629-1985

Impreso en Gráficas Rico
C/ María del Carmen, 30
28011 Madrid

QUE A ESTAS ALTURAS DEL MILENIO...

Que a estas alturas del milenio consagrador del cinismo pragmático, un grupo de poetas decidan reunir sus versos para comunicar solidaridades con una revolución acosada, puede ser interpretado como un penúltimo ejercicio de romanticismo literario comprometido o como el último estertor de la antigua agonía de los brujos propietarios de la palabra. Lejos está el escritor de hoy de aquella estatura de estatua épica que la conciencia cultural europea construyó a su inteligencia de entreguerras. Entre todas las legitimidades en crisis, la función del intelectual como conciencia externa de la sociedad es una de las más seriamente dañadas, interesadamente dañada por el imperativo categórico del pragmatismo, pero también necesariamente revisada por el propio intelectual, armado de sentido de la Historia y de sentido de la proporción del gesto y del ridículo.

No obstante, aun relativizando hasta la poquedad, la función histórica de la palabra poética, sería necedad o empecinamiento interesado no reconocer que alguna influencia le queda como testimonio moral que sale y entra continuamente entre los territorios de la memoria y

*la predisposición de la conducta. Muchos españoles des-
cubrieron que eran antifranquistas o se propusieron serlo leyendo los poemas de Blas de Otero y al mismo tiempo asumían la poesía. ¿Qué papel han jugado los versos
de Neruda, Vallejo, Nicolás Guillén o Ernesto Cardenal
en la creación de una conciencia ética y estética de la injusticia y su contrario? Y lejos de las costas de un mundo al parecer por terminar, en la tan concluida Europa
¿ha sido inútil la reciente toma de posición histórica
de la escritura de un Heinrich Böhl para concienciar
sobre los calculados horrores de la democracia? ¿Care-
ce de legitimidad·la palabra literaria disidente que en los
países socialistas pugna con la verdad planificada?*

*En cualquier caso, Nicaragua merece cualquier acción
para hacerla visible a los ojos que no quieren verla en su
dignidad revolucionaria, en su redundancia humanista
de revolución humanitaria. Una revolución bloqueada
por malos enemigos e insuficientes amigos que sobrevive gracias a la tenacidad de sus ciudadanos, pero también gracias a la presión de amplias capas de la opinión
pública internacional, aún capaces de movilizarse contra la injusticia, al margen de las razones de Estado o de
bloque. Mal asunto cuando la conciencia crítica se me-
te en la lógica interna de las razones de Estado o de bloque. Acaba pidiendo perdón por haber nacido o redac-
tando partes de guerra.*

*Sin pretensión de cambiar la Historia, pero en la sabi-
duría de poder condicionarla, los poetas ofrecen a Nicaragua un chaleco blindado de palabras que no excluye la
necesidad de otros chalecos blindados más contunden-
tes. Pero la palabra jugó un papel en el inicio del espíritu
revolucionario y son palabras las que hoy por hoy inmo-
vilizan el zarpazo pretendidamente definitivo del Gran
Gendarme. Nicaragua es la frontera actual de la moral de
la Historia y si se pierde esa frontera mal final de milenio se nos prepara. No ofrecemos pues versos como si
fuesen la crónica de un fracaso histórico anunciado, sino*

como una propuesta de compromiso activo, dirigida al lector para que exprese su solidaridad con la revolución sandinista mediante suspiros y solidaridades más tangibles: ayuda económica, política y asistencial en todos los sentidos.

M. Vázquez Montalbán

Màscara,
　　　　disfressa,
　　　　　　　　travestit:
posseïdors de la veritat
　　　　　　del nu,
Deleuze *dixit.*
Jo, bàrbar, entre la ruïna
　　　　i el nonat,
critic el discurs
　　　　−parany del grill dins la grillera,
el èlitres criden
　　　　　　altres èlitres,
　　　　　　　　　　obstacles,
més que la gàbia, la categoria:
　　　la mort del sexe
　　　i la seva lluentor−.
　　　Morro tendre, t'estim.*

Josep Alberti

* Del llibre "Aire condicionat" 1976

Máscara,
       disfraz,
             travestí:
poseedores de la verdad
          del desnudo,
   Deleuze *dixit*.
Yo, bárbaro, entre la ruina
        y lo nonato,
critico el discurso
      —trampa del grillo en la grillera,
los élitres llaman
             a otros élitres,
                 obstáculos,
más que la jaula, la categoría:
    la muerte del sexo
    y su brillo—.

    Hocico tierno, te amo*

*Traducción del autor

ATERRIZANDO

Nicaragua desde el cielo.

Los yankis por los caminos.
Martí se fue a las Segovias
con el general Sandino.

Managua desde las nubes.

Sangre por los levantados
pueblos de San Salvador.
Martí cayó fusilado.

Managua desde Managua.

Se fueron ya los marinos.
Los yankis firman la paz...
pero matando a Sandino.

Rafael Alberti

**EL DIA
EN QUE LOS NIÑOS
TOMARON
LA CALLE Y LOS
MAYORES COMENZARON
A**

SENTIR

**PANICO
PANICO
PANICO
PAN
P**

¿Has visto cómo está la calle
repleta de voces disonantes
como una sinfonía esquizofrénica
de esas que traen fecha de caducidad
como el yogur?

Curiosamente
no hay noches, ni mec-mec
y no se ve al panadero venir
¡esto no es una calle!

Sal al balcón rosa
el de los tiestos con geranios y maría,
verás qué raras esas voces

como si fuesen a estallar
en las gargantas,
la sangre a borbotones
cubriendo el asfalto
y un rum-rum de sonidos
que no quiero oír
jodiéndonos la mona.

Menos mal que de repente
sirenas, sirenitas
y luces que van y vienen
igual que en la discoteca.

Por fin,
las voces cesaron.
Silencio.
Pero la sangre seguía manando
y muchas casas parecían navegar
sobre un río sin puentes.
Tendrán que hacer una presa —dijo alguien—
remansar esa mancha roja,
entrevistar a sus cabecillas en televisión
y luego encarcelarlos.

Si de niños hacen esto
¿qué no harán de mayores?

Pedro Alberto Marcos

PAZ PARA ELBIS

Ingenuo, mirándome con ojo redondo, abesugado. Lo miro mirándome indefenso —verde, amarillo, rojo, azul—, madera transformada en pez. "Guárdalo como recuerdo de Elbis. Con *b*, ya sabes. Elbis, con b, me dijo Toño (el Cura Toño, en Puerto Rico, ya la muerte suya acorralándolo). Venía de Solentiname —el Cura Toño— y lo conoció allí. A Elbis, con *b*, que trabajaba la madera con manos de analfabeto y con ojos que sabían la hora por la posición del sol. Que era uno de tantos; uno de los pobres del mundo en tierra centroamericana. Abandonado por los siglos de los siglos. Superviviente del hambre, el niño Elbis llegó a alcanzar la juventud y a transformar la madera en peces y en pájaros, en verdes y amarillos y rojos, en azul y en estrella.

El ojo redondo y yo nos miramos mucho en aquellos tiempos, cuando tantos Elbis, cuando todos los Elbis aprendieron a soñar la esperanza, a realizar la esperanza. El ojo redondo fue haciéndoseme más cercano, más querido, más dolor, cuando los Elbis recomenzaron a morir; cuando los nuevos Elbis tuvieron que aprender a matar.

Está triste, pero no ha perdido sus colores —verde, amarillo, rojo, azul— cantarines. Los encorvados cuellos de los cisnes le interrogan (y parecen comprender sus señales).

16

El —ingenuo— es ahora, trae ahora la presencia de las más bellas palabras de protesta, escritas sobre las alas blanquísimas. El —ingenuo— es hoy presencia de aquella "encarnación desgarradora de nuestra arena traicionada" en 1934. Presencia de la primera imagen de aquel que se aproximaba hacia las figuras de mi belén artesano, como atraído por la fuerza de una lumbre invisible para los demás; de una última imagen del mismo Ernesto, hace pocos días, diciéndome, diciéndole a toda España, que un pueblo quiere vivir.

El: verde-amarillo-rojo-azul. El: todos los Elbis. Que no lo asesinen, clama con todos sus colores. Que nadie le obligue a matar para seguir viviendo.

Aurora de Albornoz
Diciembre 1983

ESTELI I

A Leonel Rugama

Estelí
río del este
después de cuarenta años
de sequía
de despojos
de burla
de césares rapaces
se ha llenado tu cauce.
Con lodo y sangre
se ha llenado
con cartuchos vacíos
y con sangre
con camisas
pantalones
y cadáveres
pegándose como algas
a las rocas.
Un hedor sofocante
emana de tu río.
Estelí
río del este
tus náufragos no pueden ocuparse
caminan cabizbajos
merodean
buscan en los escombros

esas tijeras rotas.
esa máquina Singer.
El río de Estelí
está chorreando sangre
y fueron tus hijastros
tus hijastros vestidos
de guardias nacionales
tus hijastros desatados
por Somoza
adiestrados
amaestrados
y castrados
por Somoza
y mercenarios lucrados
de Somoza
tus hijastros mal pagados
por el hijastro Somoza
los que lanzaron fuego
y destruyeron
Estelí
río del este
estás llorando sangre.

Claribel Alegría

REDADA Y ALIJO
DE YANQUIS Y SUS MERCANCIAS
EN NICARAGUA*

"La policía les ocupó..."
(de los periódicos)

Detenido el general:
se le ha incautado un Ejército;

al registrársele, un banco
tenía oculto el banquero;

un crematorio infinito
se le halló al obispo preso,

y al magistrado una cárcel
se le encontró en el cacheo.

Capturado el presidente:
se le ocupó su Gobierno.

Carlos Alvarez

* Publicado en el diario   Liberación, Madrid, 15-XI-1984

ESTRATO SUPERIOR DA CIDADE
DE MANAGUA

*"La Ciudad al fin de la historia
donde la materia ya no será efímera."*
Ernesto Cardenal, *Oráculo Sobre Managua*

Entran no día os corpos.
Son muitas voces dentro
a escurecer o brado
dos motores de águia.
Os oráculos, sondas
do poeta, construen
o estrato superior
da Cidade. Na cinza,
nas alturas de lava,
despois da chúvia negra,
alén da última morte
clandestina, a Cidade
ergue un cristal sobérbio,
unha folla de pan,
fecha escombros, protexe
o clamor asediado.

Son muitas voces dentro.
Desde alí, como ecoan
contra sinistros golpes!

Extramuros navegan.
No arredor somos muitos
corpos a entrar no dia
e temperar as cordas
da Cidade, instrumento
de ira contra as aves
azuis. Son muitas voces
afinadas na altura
dos estratos de lava
que o poeta escrebeu.

As voces len o texto
da Cidade, levantan
o clamor contra as bestas.
Contra o fume construen
un oráculo novo
sobre Manágua: non
pasarán!

Xosé Maria Alvarez Cáccamo
vigo — novembro 1984

JA ES HORA

Aquest matí han florit els carrers!
Com reis antics, mentre dormíem, han
pintat els murs —siglas, convocatòries.
El poble és —ja era hora!— qui mana
i té l'afany de demostrar-ho a crits
de llarg quitrà. Oh llibertat guanyada!

Vicent Andrés Estellés

YA ES HORA*

Esta mañana han florecido las calles.
Como reyes antiguos, mientras dormíamos, han
pintado en los muros —siglas, convocatorias.
El pueblo es — ¡ya era hora! — quien manda
y tiene el afán de demostrarlo a gritos
de largo alquitrán. ¡Oh libertad ganada!

* Traducción del autor

24

SEMBRADO EJEMPLO

Tronché, rompí el verso
para ensalzar tu grandeza
de territorio pequeño,
Nicaragua.
¿Quién no escucha
el vertido latir de tu pueblo?
¿Quién olvida ya
los largos años
de opresión y cieno
que sufriste?

¿Cómo acudir, en alma,
a tu llagado cuerpo
de heridas y cicatrices venero?
Comparezco,
sin escarapela
ni máscara
ni letrero:
así soy ánima fraterna,
con la mano tendida
porque se transparenta
tu mestiza piel
de anhelos.

¡Qué oprobio, para todos, para siempre,
significa el cerco que te inflige
el poderoso y hueco y artero!
Ellos cultivan la muerte
allá en locura de alardes y derroches;
desde los dominios mal habidos
arquean sus vómitos de asesino fuego.
Pero vosotros sembráis un ejemplo
y espigar podemos
lo vivo de tu aliento.

...Mas advendrá, un mañana inexorable
y se escribirá la Historia
con diamantinas verdades,
y entonces tu empeño,
en este tiempo grave,
acreditado será,
Nicaragua,
río ensangrentado
hacia los henchidos mares
que lo humano proclaman.

Manuel Andújar

DES DE LLUNY

Heu conegut, com nosaltres, la lluita
i els morts amortallats de solitud
quan el silenci era la flor de l'odi.

Segats abans del fat i sense "roses
per capçal", sense neu de gessamins
encara els aquissaven contra l'alba

l'oblit, petjant la terra del repòs.
Ara, ocells de record trenquen el cercle
i els coronen amb branques de claror.

—Quantes cançons no podien ser dites—
—com s'allargava l'ombra de la por—
—quants llavis closos al pa i la paraula—

—Quina esperança neix, com un infant
tot just despert en un niu de coratge,
somriure d'aigua en un desert constant.

Maria Angels Anglada

27

DESDE LEJOS*

Habéis conocido, como nosotros, la lucha
y los muertos amortajados de soledad
cuando el silencio era la flor del odio

Segados antes del hado y sin "rosas
como cabecera", sin nieve de jazmines
aún les azuzaban contra el alba

el olvido, hollando la tierra del reposo
Ahora, pájaros del recuerdo rompen el círculo
y los coronan con ramajes de luz.

—Cuántas canciones no podían ser dichas—
cómo se alargaba la sombra del miedo
—cuántos labios sin pan y sin palabra—.

—Qué esperanza nace, como un niño
recién despierto en un nido de valor
sonrisa del agua en un desierto constante.

* Traducción literal de la autora

28

EL SEPTIMO REGIMIENTO AEROTRANSPORTADO
DE OKLAHOMA NUNCA LLEGO A MANAGUA

Oh, no son las canciones del general las que escuchas,
pero la media milla que nos separa del enemigo
nos seguirá haciendo famosos más allá de la historia.
Por eso preparamos las ametralladoras y las golosinas,
y tomamos la ruta del sur con nuestros aviones de alas
/pardas.
Es verdad que recordamos los dientes sanos de nuestras
/chicas
y que estaríamos mejor bebiendo bourbon en
/Oklahoma,
pero es hermoso vencer en las batallas
y tener la gloria que en la tierra extranjera seguro nos
/aguarda

Y así con ilusión y con armas cruzamos el mar,
pero algo sucede que cambia todos nuestros planes:
no lo habíamos calculado bien
o, quizás, alguien lo pensó mejor.
Dime, compañero de Oklahoma, dónde estás ahora,
por qué no veo la bandera de la cárcel y los cielos,
cuáles son las malas noticias que escucho.
Dicen que habían construido otra Managua,
de casas y fuentes y árboles falsos,
exactamente igual que la verdadera Managua,
que iluminaban por la noche y por el día.

Ay, amigo de Oklahoma, nunca volveremos a escuchar
las canciones irlandesas ni a ver la espada
de la estatua de la Libertad.
Fuimos doblemente engañados,
no conoceremos jamás Managua
y nuestro destino va a ser, al fin,
el bosque, los animales salvajes y la muerte.

Joaquín Arnáiz

Y SE HIZO LA LUZ

Desde el alba preliminar del Caribe,
preludio del salto mortal e inmortal de América
ha comenzado a clarear,
a sumarse la luz,
luz de luz
y porque es tiempo de amanecer
en Nicaragua
de cuerpo entero se hizo la luz.

Por los aires iba huyendo
el Somoza,
el muy cobarde.
Por los aires
bien tronado el Somoza.
Por los aires iba huyendo
con los Cobres, los Tigres,
los comandantes Sangre, los tenientes Muerte,
los "guarditas",
(obsequio de graduación de la academia Militar West
Point para el susodicho cadetucho alias Anastasio II)

Por los aires iba huyendo,
el desorejado desuellacaras
que no perdía el tiempo
con su pasatiempo en los túneles del búnker

arrojando los cuerpos subversivos
a la fosa de los leones y de las serpientes

Por los aires iba huyendo
el rufián
con su botín personal de 500 millones de dólares.
Son los monopolios del cemento,   de los tejidos
de los alimentos, de los barcos, de los aviones,
de los papeles, de las tierras, de los cultivos,
de los poderes, de las matanzas, de la tortura,
del terror, de los terremotos, del plasma sanguíneo.

Por los aires iba huyendo
con vivos y muertos,
muy en familia
el junta-cadáveres
con sus pútridas reliquias de
Anastasio Somoza I,
fundador de la dinastía del terror,
asesino de Augusto César Sandino
y el delfín don Luis hermano primigenio
bien muerto por manos justicieras.
La hedentina también es herencia legítima
y por eso la aspira exclusivamente
las narices de Tachito I,
la taikka, la tacha,
el tachero tachoso
que de un tachón lo borraron de América

Por los aires iba huyendo
el Herodes de Nicaragua
que ordenó fusilar a los niños
para que no se pasaran a la guerrilla liberadora.

Por los aires,
huyó por fin esta raza emputecida de tiranos,
¡Ay! de este hijo de puta
líbranos señor

pedían los oprimidos
y la tierra de Somoza
será a partir de ahora la tierra de los campesinos
dijo Sergio Ramírez,
nuestra revolución es generosa
no ha tenido necesidad de paredonear a nadie,
a los presos en las cárceles los humanizaremos
queremos cambiarlos de bestias en hombres
dijo el pueblo,
he puesto al servicio de la Revolución mi sacerdocio
/y mi poesía
dijo Ernesto Cardenal,
ser generosos con ellos será nuestra mejor venganza
dijo Tomás Borge,
luchamos para echar a los perros de Somoza
dijeron los niños,
ahora viviremos como hermanos no como explotados
dijo el cura-canciller Miguel D'Escoto
y el pueblo cantaba la misa campesina
mientras el Santo Domingo de Guzmán
patrono de Managua
y los patriotas sandinistas
custodiaban a la revolución.
Todos recordaron a sus muertos:
Carlos Fonseca Amador, Leonel Rugama, Oscar Turcios,
Gaspar García Laviana, Claudia Chamorro,
Silvio Mayorga, Danilo Rosales, Hugo Medina,
Roberto Amaya, David Tejada, Julio Buitrago,
Luisa Amanda Espinosa, Igor Ubeda
y tantos nombres más.
Estalló la simiente arrojada a puños llenos
por el general de hombres libres
Augusto César Sandino.

Etelvina Astrada

ZOON-POLITIKON

"Ambos, desde el aire, contemplan esta tierra"

Para el pueblo de Nicaragua

Zoón

Mira las laderas de ese viento:
y las estelas de esa luz: la
solidez de esa materia: si su
cuenco se abre y enseña sus
magnolias, sus recónditas luces,
su azulejo candente, peregrino,
no pongas esa mano, ni la piel,
ni la calza.
Cuando tocas las inmensa
turbación de las olas, sus azulencos
ojos, su interno verdinegro, sus
estancias de espumas: ¿tocas, tú,
peregrino, la mar, su turbulencia?
Cuando la piel la roza la rosa
de los vientos, la perfección aérea
de la cima y su nube, las
sutiles presencias del árbol
en su oliva y cómo canta el pío

34

en la zumbre y la piedra:
¿palpas, tú, peregrino?
¿Pisas, turbas la placidez, tú,
peregrino, las esencias del
arco? Cuando tu calza toque
la torrente, las piezas de la luz
en la tierra, de la rama el
candor:
No es éste lugar de llanto o
de salvación, sino de la belleza,
peregrino.
Donde tuvo simiente aquella luna
y exaltación la mar en su recinto:
media luna del mar pació la
estrella y en cinturas de nata
alfanjes completaron sus zonas
de aire muerto.
Peregrino: mira la intensidad:
esa tierra y el humillo que su calor
sostiene —el murallón de aire
que la cubre— mas ni siquiera toques
la parte más ruín, la más pequeña
zona.
Porque, ay, del turbante que de
seda la cubra, del redondel de oro
que la oprima y rodee, del pobre
corazón que por amor la ame
(cuando el amor ocupe su lugar
en las manos).

Politikón

Esa tierra no es sólo aquella
plaza o monte, aguamar o zozobra,
lozanía o reducto:

pieza del corazón que se ama
y se acoge: plinto de la mirada,
cautela de los tactos más cordiales:
es la basa, lo firme, lo cimiento,
la zarpa, la cancela, el estigma,
las lindes, lo preciso, el incendio,
la playa.
Pisa el hombre su gravidez
y holla su reducto, su llama:
el lugar de su pasión:
y pasan los vapores cantando
por las aguas, por la puerta de
luz que en amarillo abre y en
cárdena se cierra y dice al
peregrino:
abre tu corazón a esta hermosura:
este pueblo quiere ser él mismo
siendo todos. El último en desgracia,
primero en libertad.

Zoón

¿Sabes que de Sidón a Máinake
en pequeña embarcación con ojos
en la proa (que miran las espumas
y cantan los escollos) vinieron
los de manos calientes y perplejas
con el número fijo debajo del rebozo,
miraron las bahías, los rincones sabrosos,
y pusieron las finas esencias en mercado,
cambiaron los colores por plata
levantada y el cristal y el espejo
por amarillo cadmio?
También el tunecino con argolla
de cobre, sandalias de animales,
canciones fortuitas, pisaron este aire.
Y la lanza guerrera que al plural
canta en i, el pelo ensimismado,

las túnicas tan blancas, el pliego
desde el talle, aquella alcuza frágil
temblando entre las manos que amasaron
los panes más blancos de la vida.
La adamascada noche de azoteas
y dunas, la seda que verbera
y levanta tumultos, la mora,
la amapola, la acequia, los duraznos,
el alhelí, la rosa (las sonrisas
sitúan las perlas en su marco),
aquí estuvieron y del hijo
memoran los pasos en la arena
y enseñan los del mar...

Las líneas de la mano no son
ofrecimiento, saludo o cariñoso
envío, si otra mano no llega
y a la piel da cobijo:
¿Qué beso se sitúa en su centro
si no otra boca llega y al beso
no responde y al entregarse,
olvida?
¿Qué tierra es más hermosa:
en la que el hombre vive alegre
y abundoso o en la que la marisma,
el pico, la pedrera, los valles rumorosos,
encienden la hermosura, mas el hombre
no tiene libertad en aquellas palabras
impías de la boca, en el ojo, abundancia,
alegría, en los senos?
¿Quién escucha del pío
su fragor y su culpa, quién
del agua su pinza y del árbol
su roce y del peral su sueño,
su realce, su aroma?
¿Y mueren, sin embargo?
Ah, la bella cosa, bella es

por sí misma: lleva en su
propio vientre su hermosura.
Y oculta,
entre su hueco y sus esquirlas,
vive, hierve entre los cauces
de sí mismos, fulge, canta para
dentro de sí.
Y en lo profundo
mueve su exactitud. Los resortes
sutiles de su esencia. E inclina
su libertad hacia su orden.
Mas nadie necesita:
más allá de sus lindes, el cascabel
no suena: e incitación que siente,
resbala, desvanécese, se pierde,
se diluye.

Ah, la bella cosa es bella
porque al hombre conforta:
lleva la dádiva en su centro,
la gracia del corazón.
Y ofrecida
y donosa, entre la fruta abierta
y el otoño caído que amarillos
reclina, parte su pan, regala sus
encantos.
Y en lo profundo
bulle su mejora, su agasajo, su
joya. E inclina su libertad
hacia su orden.
Ah, peregrino,
la hermosura se entrega: y así
canta el laúd: e incitación
que siente, florece, se concreta,
se conforta, trasmina.
Nadie tiene más peso, más
dulce resplandor, que el friso,

el arquitrabe, que se sustenta
en dos.

Nada tiene más fuerza, más
dulce juventud, que el fuego,
el equilibrio, la fresa, la locura,
que se sostiene en tú.

Sólo ocupan los besos su sino
y su arrebol...

Aunque parezcan cientos
solamente una vida agoniza
en la cruz...
Ah, peregrino:
Por encima del aire:
¡la hermosura, la luz!
Por bajo de los aire;
el hombre en su temblor.

Rafael Ballesteros

LOS NIÑOS DE LA GUERRA

los niños de la guerra
sueñan
con el corazón de los fusiles

aman
en las recámaras del grito

hipotecan
las pieles en su silencio vegetal

instruyen
caricias en catálogos de alcohol

los niños
suspenden el tiempo
de incógnitas con fin

tiñen almíbares
de historias y confines

esconden nanas y cuadernos
en amapolas de amor

los niños son
la guerra
la ternura
(bajo tierra)
lo que lucha
lo que el invasor
escucha

ángeles de
adiós y espiga...
adiós

Pablo del Barco

AUGURIOS/ 1985

Con un abrazo a los poetas Carlos Martínez Rivas
y Francisco de Asís   Fernández.

Nicaragua es algo más que una constante noticia que repiten los periódicos. Nicaragua es una tierra de héroes y de poetas. Tiene un mapa pequeño en el gran Atlas del mundo, pero es un mapa erizado de luchas y de versos. Un territorio que no se resiste a olvidar la esperanza pese a los infortunios de la incomprensión, pese al cerco construido por sus poderosos enemigos.

Nicaragua. Deletreo su nombre y adivino su tierra verde. Invoco al país que nunca vieron mis ojos, pero que amaneció para mí en el verbo optimista de Rubén. Y siguió creciendo en el verso de otros que aprendieron amorosamente su lección. Nicaragua. Mar tierra, cielo tranquilo que perturba una amenaza. Nicaragua, la que levanta un muro alto para defenderse del *caníbal de roja encía y afilados dientes.*

Yo te saludo en los albores de este año del mil novecientos ochenta y cinco. Y te saludo con un sueño pacífico y sereno. Para que la paz devuelva la alegría a los adustos rostros que con las armas esperan. Para que no vuelva a derramarse tu sangre que es preciosa joya. Y para que en la calma de un territorio justo pueda vibrar el canto que guardan tus poetas. Nicaragua alerta: El reino no es nunca de la tempestad, el que reina es el sol.

Marcos-Ricardo Barnatán

42

LOS TIEMPOS CAMBIAN

*"Es más fácil que un camello pase
por el ojo de una aguja que un rico
entre al reino de los cielos."*
Nuevo Testamento

Cuando la dictadura
asesinó a Pedro Joaquín Chamorro
el pueblo salió a la calle.
Durante varios días hubo disturbios.
Carros quemados. Gentes con palos y piedras
protestando.

A esos no les llamaron "turbas"

En febrero
en Monimbó
al mes de muerto Pedro Joaquín Chamorro
el pueblo se amotinó.
Hubo machetes, barrotes de ventana afilados.
Gritos y máscaras.

A esos tampoco les llamaron "turbas"

Cuando estalló la insurrección,
se quemaron llantas, buses.

El pueblo "inculto" desbarató las calles para hacer
/trincheras
Los muchachos con pañuelos roji-negros
se apostaban en las calles con sus pistolas 22.

Pero tampoco les llamaron "turbas"

Ahora ese mismo pueblo les estorba
es "turba"
Ahora que son ellos los que están del otro lado,
añorando el pasado.
Ahora que son ellos los que están detrás del cordón
/policial
mientras el pueblo les grita que se vayan,
todo el que los reconoce detrás de sus disfraces
es "turba"
los que los repudian
(aquellos que los liberaron de la dictadura)
son "turbas"
los jóvenes con pañuelos roji-negros
son "turbas"

Bienaventuradas las turbas
porque ellas sí pasarán por el ojo de la aguja.

Gioconda Belli
Septiembre de 1984

44

MUNDO TENDIDO

"Televisión. Programa resumen
noticias de 1984 en el mundo."

Tendido es el amor, la muerte, el paisaje a la altura
de los télex que viajan las trincheras del mundo.
No importan geografías, la batalla limita
con la sonrisa helada de un enemigo vencido,
niños que juegan en torno,
como si la muerte fuera
una pelota de goma con qué golear al vacío

La fe mueve montañas, pero su dogma asciende
más muralla quizá después de haber jurado
los hombres sus suicidios de argot comprometido.
A tientas hasta el daño,
de qué sirven los ojos si se dispara a ciegas,
contra nadie, contra todos los miedos, de uno mismo,
lo he visto en la pantalla, un brazo adolescente
acaricia con celo la piel de su gatillo.
Las novias de verdad han perdido su oficio.

La guerra es un balance, cuenta de resultados
tras la sangre invertida.
Insisto, no importan geografías,
los nombres de los gritos son la tragedia a secas

para llorarla allí donde se vive.
Decirse pacifista es sólo un argumento
de conciencias tranquilas. Lo crees a pies juntillas,
pero el paso tropieza en el primer atasco
de la calle enturbiada por cualquier motivo.

El mundo me doy pena, apaga mi resumen.
Quizá gocen más dicha los desaparecidos,
aparecerse ahora es huir a esconderse
en la próxima cita de un terror con proyectos
de ascenderse a sí mismo.

Está escrito el destino de nuestra especie triste.
Qué podemos hacer, humanidad perdida,
si hasta el placer de amor se manifiesta a gritos,
cuerpo a cuerpo, tendido.

Por dios, no me convenzan,
Soy débil, cuando leo me creo
lo que está bien, escrito.
No me cuenten su idea, yo sé que cualquier día
puede ser mi mentira, cuerpo a cuerpo,
tendida.

Fernando Beltrán
Madrid, 30 de diciembre

RIGOBERTO EN OTRA FIESTA

Amanecer sabroso / mediodía y fervores /
                    noche de armas y ramas
ruinas de las que surgen aves confidenciales
descalzos que vindican / ganan gleba por gleba
las ochocientas mil hectáreas del maligno

patria libre o morir o morir o morir
morir ya lo sabían / era pan cotidiano
pero no es tan sencillo habituarse de pronto
al evangelio de la patria libre

viejo pueblo naciente del sueño y de la pólvora
sandino en las gargantas las segovias los muros
voluntarios dispuestos a barrer la desgracia
barricadas que vuelven a ser tronco y ladrillos

casi tocando el cielo de los muchos sin tierra
los sin pan / los sin techo / los sinsontes
casi escuchando el nuevo y crucial terremoto
pienso en tu veintiuno de setiembre / quizá
porque estabas tan solo rigoberto
aunque es claro existían cornelio ausberto edwin
remotos y leales / y acercarte bailando
al tirano insolente / aproximarte como

crucero de la fiesta que iba a ponerse trágica
y acribillarlo y ser acribillado
fue tan poema y tan nicaragüense
como el mejor darío
no el que se inventaba las manos de marqués
sino el que las tenía de indio chorotega

por eso en la pasión de la victoria
ahora que la fiesta es por fin generosa
entre los puños debe estar tu puño
entre las balas debe estar tu bala
entre los corazones tu verde corazón
y en cada patria libre o morir tu campante
muerte / que es uña y carne con la patria que nutres

así mirando sosegadamente
a tu pueblo / insurrecto desde zafras antiguas
de pronto advierto que tu soledad
de hace veintitrés años no era tanta
acaso porque entonces ya escondía / soñándolos
a estos campesinos
a estos combatientes
a estos niños descalzos

Mario Benedetti

HOMENAJE A NICARAGUA

(Dijo el niño:
desrealizar la realidad
volver a los verdaderos
términos reales,
hoy desrealizados por
una práctica abusiva
de una realidad
"ordenada".)

Y cuando le clavaron
el cuchillo en la garganta,
al animal
se debatió un segundo
y luego se entregó al fatal
descuido de quien intuye
el sentido del rito.

(Necesitamos su sangre
sus entrañas,
para seguir persiguiendo ideales...)

Angel Berenguer

49

SILENCIOSOS CAMPESINOS

Silenciosos campesinos esperando;
que nunca se rebelan iracundos
porque amasan la tierra con las manos
y el barro es su bálsamo;
siempre quietos bajo viento y nube.

Campesinos casi campo, sin preguntas
metafísicas: pero dolor, canción ronca;
surco áspero, reseco, esperando
la pequeña brizna verde que inundará en cosechas
su piel, su carne ocremente callada.

Esperando por años, por milenios,
con la mirada mansa en horizontes
impávidos: mañana es la frontera
más lejana de su devenir pausado,
lento acontecer de auroras y de ocasos.

Campesinos eternos como días de la nada,
como largos veranos perezosamente fértiles,
como inviernos iguales, sin modificaciones,
sin palabras, hechos de lluvia y aire,
como otoños rígidos y tiernas, limpias primaveras;

Peteneras, cuajados en cantes
cortos, ciertos, severos, senequistas
sentencias; como olivos antiguos,
recios, broncos, con más tronco que ramas;
como tierra calma en barbecho: esperando.

Carmen Bermúdez

ENCRUCIJADA

Parados todos en la encrucijada,
gritamos la palabra que nos guía,
estremecidos de que esté vacía.
Miran los niños y no dicen nada.

Ríen de pronto. Brilla su mirada.
Jugando, otra palabra les nacía.
Oyese "guerra" en la infantil porfía.
Los observamos. No decimos nada.

Hemos colmado el almacén del fuego.
Canciones, libros, disponeos al juego
si no emprendéis el último camino.

Otro no queda. Por el hoy abierto
corren los niños hacia un valle muerto,
dóciles a sus padres, a su sino.

Antonio Buero Vallejo

CENTROAMERICA

Mira, en realidad, es una cuestión de geopolítica,
de ahorcar el seis doble
jugando al dominó,
siguiendo a Mackinder, el iniciador
del mundo de bloques,
espacios, dominios,
de la inevitable fuerza de la expansión
del continente corazón y eje de frentes
de combate que,
opulento insaciable, actúa
cruel devorador de libertades dichas.

En realidad, es una cuestión de geopolítica,
del miedo a perder
pedazo imperial,
huyendo de Cuba,
del Vietnam,
buscando el trasvase
de rentas, vidas, hombres,
cultura, mentalidades,
temiendo que al fin se imponga
el lento destino del devenir.

Es una cuestión de geopolítica,
si no fuera porque también ha sido,
y tal vez será,
una cuestión de llanto de hambre, dolor de muerte,
grito de horror, y ansia de libertad

Carlos Buero

PENULTIMA CUMBRE

La mortandad no es negociable, salvo en casos de extremo desequilibrio gestionario. A más muertos remotos, más vivos adyacentes. En ningún caso deben computarse indigencias y estragos subalternos: el hambre, la ignorancia, la lenta enfermedad, el terror de estar solo, las torturas endémicas y algunas otras muertes interinas. La fundación de la barbarie devora así sus propios dividendos. En la sala de juntas del piso 32 hay un mapa del mundo, donde un pulcro edecán ha ido marcando líneas isobélicas, órbitas combustibles, zonas utilitarias de exterminio. Teléfonos conectan con teléfonos que asimismo conectan con teléfonos que se vigilan mutuamente y no atenderán nunca la llamada de ese maldito muerto que desea saber qué horrible cosa está pasando. Un rutinario síntoma de alarma cunde discretamente por gerencias, polígonos, factorías, cuarteles. Pero es sólo un instante. El Justicia Mayor acaba de dictar su veredicto: hay que matar definitivamente al muerto.

José M. Caballero Bonald

COPULA DE FUEGO

Hay un fuego sordo y sosegado
    que atraviesa todo y eleva la llama triunfante
Hay un sí
        que transmuta todo
        que destila todo
a su pesar
Hay un no crujiente
        flagelante
                encharcando todo de rutina
                    de vuelta a empezar
Hay un corvo
    lento
    y sin embargo fogoso fecundar la derrota
                la angustia
Hay una lámina que se mueve tras el vidrio esmerilado
                  y la desértica marea
Hay un investigar
    aplicar
    desarrollar
    vender
    comprar
    apuntar
    arrojar   GAS MOSTAZA
        dura
            droga

Hay una antigua máscara
   y   un vientre sediento
   y   una fosa repleta
                de soldados niños
                de madres cadáveres
                de cadáveres vivos
Hay un puñal de sirena que perfora sin retorno la noche
Hay un quedarse anonadado
               como si uno degollara en la matanza / un
triunfo en el alarido del hambre
Hay una extensa y enfervecida lucha en las montañas
             que se apresura como lava vindicativa
                 que nada tiene ya que morir
Hay un silencio soledad   aherrojando las manos
                    los términos
                    el umbral dichoso

Hay un péndulo que sopesa la balanza del parto
               y la de los entierros masivos
Hay
hay
hay
     todavía amor en las entrañas de todo
         fuego

Miguel Cabrera

EN NICARAGUA

Comienzan a sonar las herramientas de trabajo,
como a las siete de la mañana,
en toda Nicaragua.
(Al Aeropuerto Augusto César Sandino
llegan los aviones, se deslizan sobre la pista,
—los pasajeros a través de la ventanilla divisan las
                              /banderas rojinegras—
aturde el estruendo de las turbinas;
otros están por partir o parten.
Los barcos anclan en el Pacífico o el Atlántico
y estremecen los puertos con sus roncas bocinas.
Los teletipos atravesando el espacio por todos los países
con los avances de la Revolución
ý los consorcios internacionales de noticias
Pero, pese a todo,
contradiciendo los avances de la Revolución
                              /Sandinista),
Comienzan a transitar los vehículos,
y Nicaragua pareciera un inmenso velódromo público,
como a las seis y media de la mañana.
(El aire por las cordilleras, los ríos, llanos y montañas,
el olor a sudor, a disel, gasolina quemada,
a comiderías, fábricas y mercados;
los incontables afiches pegados en los muros y paredes;

las mantas pintadas, las consignas
—Reconstruccción, Producción, Alfabetización—;
la voz de nuestros dirigentes escuchándose
en los noticieros matutinos;
el sol leve sobre el Lago de Managua.)
Todo comienza a ser diferente en Nicaragua.
        (Hacer la Revolución entre todos.)
        (Ser de todos y para todos.)
Alertas, consecuentes, solidarios, decididos al trabajo.
Y comienza a caminar el estudiante
con el libro, el lápiz, el cuaderno
y el nuevo compromiso:
                Revolución, estudio y trabajo;
el obrero sindicalizado
que marcha al taller, al plantel, a la fábrica
con entusiasmo proletario;
los carboneros, los chavalos vende caramelos
en los buses y las calles.
(Mientras en la Revolución se lucha por darles estudio
                        /y trabajo);
las secretarias revolucionarias,
los campesinos que se dirigen a las cooperativas
                    /agrícolas,
las verduleras sindicalizadas, con sus canastos de frutas
                    /y verduras;
los albañiles,
las unidades productivas y que también son alfabetizados;
el ganadero organizado,
los milicianos con sus fusiles y trajes militares
marchando a sus cuarteles;
el maestro medio y de primaria
con anotaciones de la Nueva Historia.
Mis compañeros zapateros, el taxista, el comerciante,
los mineros que laboran en las minas nacionalizadas,
las lavanderas, tortilleras, dependientas,
sastres, enfermeras, jornaleros, ingenieros,
carpinteros, médicos, boticarios

todos organizados.
Y se trabaja, se produce, se estudia.
(La Revolución es individual cuando trabajamos.
La Revolución es colectiva cuando para todos se trabaja.
La Revolución es individual cuando estudiamos.
La Revolución es colectiva cuando para todos se estudia.
La Revolución es individual cuando producimos.
La Revolución es colectiva cuando se produce para
/todos.)
Los niños nicaragüenses van a la escuela,
preguntan con interés quién fue Sandino y Fonseca;
cantan el himno al F.S.L.N., aman la Revolución.
El sol baja poco a poco en el oeste
y todos regresan a su trabajo.
Viven, aman al compañero, al camarada.
con el amor que hay en todo revolucionario.
Se escucha la radio, se piensa, se hace el amor,
se ama la libertad, a la novia guerrillera, a la novia
/proletaria,
se asiste al Comité de Defensa Sandinista, al mitin, se ve
/la T.V.,
se discute, se lee el periódico,
se analiza el proceso de liberación de otros países,
se lucha, se sufre por combatir el hambre,
lo injusto y la miseria.
Depués llega la noche.   Amanece.
Y yo proletario y poeta pienso
en esta liberación total de Nicaragua.
Y comienza de nuevo la vida, la historia.

Carlos Calero

MUCHACHOS DE "LA PRENSA"

Muchachos que salían a diario fotografiados en
/"La Prensa"
   acostados
con los ojos entrecerrados, los labios entreabiertos
como si se estuvieran riendo, como si estuvieran
/gozando.

Los jóvenes de la horrenda lista.

O bien salían serios en sus fotitos de carnet, de
/pasaporte,
tal vez profundamente serios.
Muchachos que aumentaban a diario la lista del
/horror.
Uno fue a dar una vuelta por el barrio
y lo hallaron tirado en un predio montoso.
O salió para el trabajo, de su casa del barrio San
/Judas,
y no volvió más.
      El que salió a comprar una Cola Cola a la
/esquina.
El que salió a ver a su novia y no volvió.
O sacado de su casa
     y llevado en un jeep militar que se hundió
/en la noche.

Y después encontrado en la morgue,
o a un lado de la carretera en la Cuesta del Plomo,
o en un basurero.
                Con los brazos quebrados,
los ojos sacados, la lengua cortada, los genitales
                                              /arrancados.
                O simplemente nunca aparecieron.
Los llevados por la patrulla del "Macho Negro" o de
                                   /"Cara'e León".
Los amontonados en la costa del lago detrás del
                                   /Teatro Darío.

        Lo único que quedó a las mamás de sus físicos,
la mirada brillante, la sonrisa, planas, en un papel.
Cartulinas que las mamás mostraban como un tesoro
                                   /en "La Prensa".
(La imagen grabada en las entrañas: en esa cartulinita
                                   /chiquita.)
            El del pelambre despeinado.
            El de los ojos de venado asustado.
            Este risueño, picaresco.
            La muchacha de mirada melancólica
            Uno de perfil. O con la cabeza ladeada.
            Pensativo uno. Uno con la camisa abierta.
            Otro con bucles. U con el pelo en la cara. Con
                                   /boina.
            Otro borroso sonriendo debajo de sus bigotes.
            Con la corbata de graduación.
            La chavala sonriendo con el seño fruncido.
            La chavala en la foto que andaría su novio.
            El muchacho en pose en la foto que le daría a
                                   /su novia.
De 20, de 22, de 18, de 17, de 15 años.
Los jóvenes matados por ser jóvenes. Porque
tener entre los 15 y los 25 años en Nicaragua era ilega
        Y pareció que Nicaragua iba a quedar sin jóvenes.
Y después del triunfo hasta me sorprendí a veces, de
                                   /pronto,

ante un joven que en una concentración me saludaba
        (yo preguntándole en mi interior: "¿Y vos cómo
                                        /escapaste?")
        Se les temió por jóvenes.

Ustedes los agarrados por la guardia. Los "amados de los
                                        /dioses".
Los griegos dijeron que los amados de los dioses mueren
                                        /jóvenes.
Será pienso yo, porque siempre quedaron jóvenes.
        Los otros podrán envejecer mucho pero para ellos
aquéllos estarán siempre jóvenes y frescos,
        la frente tersa, el pelo negro.
La romana de pelo rubio que murió quedó siempre rubia
                                        /en el recuerdo.
Pero ustedes, digo yo, no son los que no envejecieron,
porque quedaron jóvenes (efímeramente) en el recuerdo
de los que también morirán.
Ustedes estarán jóvenes porque siempre habrá jóvenes
                                        /en Nicaragua
y los jóvenes de Nicaragua serán ya todos revolucionarios,
                                        /por
las muertes de ustedes que fueron tantos, los matados
                                        /a diario.
Ellos serán ustedes otra vez, en vidas siempre renovadas,
        nuevos, como nuevo es cada amanecer.

                                        Ernesto Cardenal

Que no quede nada por decir.
Que no tenga que inclinarme más que para besar
/la tierra.

Que solamente pueda extraer de los tallos divididos
/de las
hiedras alcoholizadas en perfume de olvidadas Nerliadas.
Que mi violencia se asemeje a las purpúreas amapolas
/de las
doncellas lavándose los labios en las fuentes emólicas
de berros.
Que sólo pueda dibujar en las mareas de arena tu
/silueta
ensalmada en los espacios de los tilos, abrazado
/temblor
de tus senos de sumisa achicoria.
Que todos mis pensamientos broten de la flor azul
/de los
jardines griegos*.

José Carlón

* Editado en la colección Endymion (Editorial Ayuso). Madrid 1983.

ODA

¿Siempre la sangre cae del mismo lado
y la recoge siempre un mismo cáliz?
Avida tierra que tu espina lanzas
soberbia siempre contra el mismo pecho,
sáciate ya, sáciate ya de sangre
y olvida en vida al hombre que te sufre.

Olvida al hombre, tuyo, y que te sufre,
y crezca indemne y fácil a tu lado;
las amapolas duras de su sangre
ni herida finjan ni rebosen cáliz,
mas, seguras del curso de su pecho,
ni espinas teman ni lamenten lanzas.

Canten jilgueros donde el odio lanzas
hoy, como un limonero que te sufre
todo de oro cargado contra un pecho.
Jilgueros que al rigor le den de lado
de tu estío sediento como un cáliz,
de tu invierno sin labios y sin sangre.

Jilgueros y amapolas por la sangre,
espinas que son trigos y no lanzas,
corona apenas que despunta el cáliz
y sólo por la aurora nace y sufre:
y un niño hermoso y lúdico a su lado,

con la inicial de amor sobre su pecho.

El pensamiento grave nunca un pecho
logre romper, ni corromper su sangre;
el sentimiento ciego lado a lado
embotadas caer deje sus lanzas,
y la exacta alegría, que no sufre
sombra entre sí, de sí llene este cáliz.

Cáliz como amapola, verde cáliz
que por corola ostente intacto un pecho,
ese pecho de niño donde sufre
sólo la luz que quiere ser su sangre;
sangre —oh, Mañana ilusorio— que lanzas,
terrible Ayer, hoy sucia a nuestro lado

y cae del mismo lado y llena el cáliz,
bajo las mismas lanzas contra el pecho
que siempre sufre con la misma sangre.

Antonio Carvajal

AL PUEBLO NICARAGUENSE EN ARMAS

Juntad las manos en vendaval
hacedlas puños, después hablad.
Con los fusiles no,
ni con las mazas.
Sí con la ley
que alienta el alma.
Poned la fuerza
de la razón
contra las armas
y a los humildes
en la vanguardia,
que la palabra que disparen
sea esperanza.

Alfredo Castellón
Madrid-25-IV-85

AUNQUE MI VIDA NO ALCANCE

Aunque mi vida no alcance
el día de la victoria
no será en vano mi lucha,
pues en la alegría del pueblo
habrá un sentimiento de tristeza
revuelto con esperanza,
y dirán entonces:
compañeros,
recordemos a aquéllos
caídos en combate.
Entonces todos sabrán
que no fue un gesto inútil
el mío, el de muchos
que sabemos que aunque
no lo veamos nosotros,
está cerca el día.

Ernesto Castillo
(Caído en combate)

LA FUENTE INAPRECIABLE

Quiero vengar la culpa más pequeña,
—qué fue, sino la herida
del asombro mayor, de la inocencia—
vengar la herida, sí:
resucitar al llanto
el estado naciente

y desprendido de la tierra.
Destacado del polvo,
de sus cenizas.
Y confinado a sólo lo que queda
tras el dolor,

a lo que resucita.
El horizonte vertical.
¡La llamada del ser!

¿Corazón del paisaje?
Mi corazón.

Si es el único espacio la esperanza
que conozco,
si es polvo el angel de la superficie;

no hay imagen.
... La libertad requiere que yo sienta.

Amor ¿la pareja del ser?
El horizonte vertical.
¿La noche oscura?

Julia Castillo

LA POESIA ES UN ARMA CARGADA
DE FUTURO*

Cuando ya nada se espera personalmente exaltante,
mas se palpita y se sigue más acá de la conciencia,
fieramente existiendo, ciegamente afirmando,
como un pulso que golpea las tinieblas,

cuando se miran de frente
los vertiginosos ojos claros de la muerte,
se dicen las verdades:
las bárbaras, terribles, amorosas crueldades.

Se dicen los poemas
que ensanchan los pulmones de cuantos asfixiados,
piden ser, piden ritmo,
piden ley para aquello que sienten excesivo.

Con la velocidad del instinto,
con el rayo del prodigio,
como mágica evidencia, lo real se nos convierte
en lo idéntico a sí mismo.

Poesía para el pobre, poesía necesaria
como el pan de cada día,
como el aire que exigimos tres veces por minuto,
para ser y en tanto somos dar un sí que glorifica.

Porque vivimos a golpes, porque apenas si nos dejan
decir que somos quien somos,
nuestros cantares no pueden ser sin pecado un adorno.
Estamos tocando el fondo.

Maldigo la poesía concebida como un lujo
cultural por los neutrales
que, lavándose las manos, se desentienden y evaden.
Maldigo la poesía de quien no toma partido hasta
                                        /mancharse.

Hago mías las faltas. Siento en mí a cuantos sufren
y canto respirando.
Canto, y canto, y cantando más allá de mis penas
personales, me ensancho.

Quisiera daros vida, provocar nuevos actos,
y calculo por eso con técnica, qué puedo.
Me siento un ingeniero del verso y un obrero
que trabaja con otros a España en sus aceros.

Tal es mi poesía: poesía-herramienta
a la vez que latido de lo unánime y ciego.
Tal es, arma cargada de futuro expansivo
con que te apunto al pecho.

No es una poesía gota a gota pensada.
No es un bello producto. No es un fruto perfecto.
Es algo como el aire que todos respiramos
y es el canto que espacia cuanto dentro llevamos.

Son palabras que todos repetimos sintiendo
como nuestras y vuelan. Son más que lo mentado.
Son lo más necesario: lo que tiene nombre.
Son gritos en el cielo, y en la tierra, son actos.

Gabriel Celaya

* De "Cantos Ibéros"

NICARAGUA

Porque siempre
que los cuerpos se
juntan
se confunden con la tierra
que aman

Porque hay
seres a los que el llanto
va transformando poco
a poco
en ríos desatados

Porque el aire se
llena
de palomas cuando es el
corazón
quien eleva su voz
desafiando
al silbo tenebroso de la
muerte

Porque una triste
historia
puede a veces

ser el germen oscuro que
origina
una historia contraria,

hoy un pueblo se ha
unido
con las manos
crispadas
el aliento apostando
fuertemente a la
vida
el pecho ilumina
do

Alicia Cid
Enero, 1985

NACAR DE AGUA

Nácar de agua, desconocida Nicaragua hermosa. Nos hemos encontrado en la esperanza de ser libres por las calles de una protesta dibujada en puños contra la agresión. "Así, así, ni un paso atrás, con las armas en la mano Nicaragua vencerá". Así allí, lejos, un pequeño país enamorado de su futuro, cercano como tantas otras aventuras revolucionarias a nuestra querencia por la utopía. Nuestro país se empaña por modas reaccionarias que pretenden nublar principios a los que el ser humano, en su marcha por ser feliz, no puede renunciar; pero tales dudas en la esencia colectiva que somos no impiden la solidaridad con pueblos que, como el vuestro, enarbolan la valentía frente a la ingerencia, por conservar un camino propio hacia la independencia y la libertad.

Nácar de agua, amada Nicaragua rebelde. No cabe la crítica cuando te matan en la frontera con países vendidos a intereses mercenarios. Sólo el aliento soberano de una latente internacional progresista en la que gobiernan el sentido común, el sentimiento pacifista, la necesidad de ser libres y el deseo de procurar mayor placer para nuestros actos, nos conserva vivos.

Y no nos olvidamos, Nicaragua del corazón, como antes Cuba o Vietnam, Chile o el Portugal de los claveles, que la amenaza que pende sobre ti es la misma que cabalga mortal por encima de las cabezas de todos los pueblos por entero. El permanente peligro de guerra total destinada a nuestra indefensión por la cabezas nucleares de poderes enfebrecidos por un ansia loco por destruir es, pàra todos, muerte democráticamente establecida.

No te rindas, Nicaragua, hermosa, rebelde, desconocida y amada Nicaragua, no te rindas. Mantente valiente, hazte fuerte, siéntenos junto a ti y aprende que para ese viaje no te valen misiles, sólo valor y calidad humana, esperanza en un futuro abierto a la paz y a la libertad. Nicaragua, nácar de agua, resiste, nácar de agua, Nicaragua, te queremos.

Víctor Claudín

CHRISTUS VINCIT *

*A Ernesto Cardenal, a quién
admiro profundamente.*

Divendres Sant ha passat i la pluja
fa créixer encara bones esperances.
Hi ha un llanguiment al fons de tot dels ossos.
Mentre esperem que el cos ens ressusciti,
parlem baixet. Hi ha algú que juga a cartes.
Les pedres estan totes adormides.
Els vasos quiets, en el cristall cap nota.
El riu s'empereseix d'aigua fangosa.
Als jardins dels convents, buits, es passegen
cucs fatigats per marcides mimoses.

*Narcis Comadira
30 de Noviembre de 1980*

* Del llibre "Album de familia". Barcelona 1980

CHRISTUS VINCIT*

Viernes Santo ha pasado y la lluvia
va germinando buenas esperanzas.
Los huesos languidecen en sus médulas.
Y así aguardando que el cuerpo resucite,
hablamos quedo. Alguien juega a las cartas.
Las piedras están todas dormitando.
Los vasos quietos, sin notas el cristal.
El río se aletarga de agua y lodo.
En los jardines de conventos vacíos se pasean
gusanos fatigados por marchitas mimosas.

* Traducción del autor.

ALERTA, NICARAGUA

Sangrante Nicaragua,
patria cercada de América,
sobre tí los yanquis tejen
las telarañas más negras
para levantar la tumba
de tu libre independencia.
Arrojan buitres y rayos,
te asaetean con sus flechas.
Gángsteres y mercenarios
de la CIA te rodean.

Pero no cierres los ojos
ante la noche que acecha,
erizada de somozas,
la libertad de tu herencia.
Nunca tus ojos se cierren,
nunca tus venas se duerman.

El grito que te recorre
es la voz de la conciencia
de todos los hombres libres
hechos de amor y de tierra.
De monte a monte luchando
y alerta, alerta, alerta.

Mirándote está Sandino

vivo siempre, como estrella
iluminando tus ríos,
reverdeciendo tus selvas,
siempre sosteniendo al pueblo
que lo ennobleció en sus penas.
Fusil prieto, Nicaragua
y las granadas dispuestas.
Sandino vela en la noche
y se transforma en bandera
de la libertad del mundo
con su pulso y con su arenga.

Si te durmieras un día,
patria sangrante de América,
llegarían mercaderes
a venderte por las ferias,
despojo de pueblo muerto,
sólo ya pasto de hienas.

¡Viva alerta Nicaragua!
¡Nicaragua, siempre alerta!
Los rayos de la victoria
sobre tu cielo alborean.

Pablo Corbalán

NO VOLVERA EL PASADO

No volverá el pasado

Ya todo es de otro modo
Todo de otra manera
Ni siquiera lo que era es ya como era
Ya nada de lo que es será lo que era
Ya es otra cosa todo
Es otra era

Es el comienzo de una nueva era
Es el principio de una nueva historia
La vieja historia se acabó, ya no puede volver
Esta, ya es otra historia.

Otra historia distinta de la historia
Otra historia contraria a la historia
Precisamente lo contrario de la historia
Precisamente lo contrario del pasado

No volverá el pasado

Precisamente es el pasado lo vencido
Precisamente es el pasado lo abolido
Precisamente es el pasado lo acabado
Ya el pasado realmente ha pasado

Ya el pasado realmente es pasado
El presente presente el futuro futuro
Antes era el pasado el presente el presente el pasado
Era imposible separar el presente del pasado
El pasado el presente el futuro eran sólo el pasado
Pero el pasado ya ha cambiado aun de significado
Todo el pasado ha sido juzgado y condenado
No volverá el pasado

Aun la misma palabra pasado tiene ya otro sentido
Y lo mismo la historia y la palabra historia
Porque la historia no era ya sino pasado
Historia ya estancada, fosilizada
Desde 1936 estaba detenida, empantanada
Era ya historia muerta, historia sin historia
Historia en la que el pueblo no contaba
Pero la historia es ya otra historia, nueva historia
Puesta de nuevo en marcha por el Frente
Puesta de nuevo en marcha por el pueblo
Ya es sólo historia lo que el pueblo quiera
Ya es sólo historia lo que el pueblo diga
Ya es sólo historia lo que el pueblo haga
La historia ahora cambiará de nombre
Tal vez se llame simplemente pueblo
Tal vez se llame simplemente vida
Tal vez Revolución, Verdad, Justicia
Tal vez se llame sólo Nicaragua

No hay ya palabra que no tenga otro significado
Ya las palabras tienen significado verdadero
Quiero decir, ya tienen verdadero significado
Quiero decir que ya significado quiere decir significado
No otra cosa distinta y mucho menos lo contrario
Lo que debe decir, no lo que quiere callar o falsear
No lo que quiere disimular o simular

Sino sencillamente lo que quiere decir
La lengua estaba ya del todo corrompida
Una lengua que no servía más que para mentir
Una lengua que era a la vez mal español y mal inglés
No la lengua nicaragüense que habla el nicaragüense.
Sino sólo un galimatías confeccionado para engañar y robar
/y matar y mantenerse en el poder
Una angloalgarabía comercial para explotar al pueblo
/consumidor
Y sobre todo un modo de convertir en dólares el sudor del
/pueblo trabajador
Pero la lengua como todo lo que te fue robado
Como todo lo que te fue robado en el pasado
Todo ha sido por fin recuperado

Sólo de tí depende que sea tuyo ahora
Ya verás que tu lengua va a renacer purificada
Cada palabra ha sido pasada por el fuego, tratada en el
/crisol
Cada palabra tiene de nuevo sentido
El sentido de cada palabra, su propio sentido
Con el que fue inventada y acuñada, puesta en
/circulación
Aun su sentido original es ya un sentido nuevo
El sinsentido mismo tiene ya sentido
Como diría Joaquín Pasos, en el sentido de sentido y de
/sentido
Porque si no es sentido no es sentido
Si no se siente no es sentido
Es, pues, por tí, por vos, por todos
Que por primera vez en Nicaragua
Todo es sentido
Es con sentido, consentido
Todo tiene sentido
La verdad ya es verdad
La mentira mentira
la Patria Patria
y Nicaragua Nicaragua.

La libertad por vez primera es libertad.

Ya las palabras pronto serán ellas mismas
Ya pronto serán lo mismo las cosas y las palabras
Pronto será la misma cosa la palabra y la cosa
Como serán lo mismo las palabras y las obras
Como decía Santa Teresa: sus palabras son obras
Pronto vendrá la clarificación de las ideas
La redefinición de las palabras
La redefinición de la palabra revolución
la redefinición de la palabra democracia
La redefinición de la palabra sandinista
(Sandinista quiere decir nacional
     –ha definido Tomás Borge
Sandinista quiere decir nicaragüense
     –ha definido Tomás Borge)
Y la Revolución va a definir lo que es nicaragüense
Como el pueblo va a definir lo que es revolución
Como ha pasado ya el pasado y viene ya el futuro por la
          /Revolución
Como de ahora en adelante todo será por obra de la
          /Revolución
Como por la Revolución es que ya todo es por primera vez
Es por primera vez en Nicaragua que una revolución es la
          /Revolución
La primera revolución contra el pasado
La primera que en realidad lo ha derrotado
La que de viaje lo ha borrado del mapa de Nicaragua
Hasta dejarlo todo en blanco o mejor dicho, en negro
Un agujero negro, un hueco negro, un hoyo negro, como los
         /hay en las galaxias
Eso es lo que ha quedado de todo el pasado
Por lo que solamente los del pasado viven en el pasado
Unicamente los del pasado añoran el pasado
Pero no se equivoquen. Ya nadie en Nicaragua será
         /engañado

No volverá el pasado.

José Coronel Urtecho

SOBRE LA PAZ

Hablar de la PAZ, ¿por qué y para qué?... Por qué, podríamos decir, porque la vemos atropellada. Pero sucede que, cuando la PAZ es atropellada, no la vemos porque no existe, lo que parece significar que es algo negativo: la PAZ, ausencia de guerra... Pero la PAZ no es eso porque la vemos en su posible ser, que es —o sería— plenitud de vida y esto es lo que, en nuestra mente, en nuestra alma vemos como despedazado. Por esto, hablar de la PAZ sólo puede ser lo que hacen algunos poetas, elegía o aullido... No perderemos el tiempo en los ditirambos optimistas, encomiando lo bello que sería... Preferimos plantearnos la cuestión ¿para qué hablar de la PAZ? Este *para* —preposición que expresa "fin o término de un movimiento o de una acción"— pide, ante todo, eficiencia. ¿Para qué hablar de la Paz?... Si lo que pretendemos es sugerir sus cualidades o valores, lo que tenemos que hacer es mostrar —como muestra el creador de arte o letras— un mundo apetecible; nunca llenar páginas con imágenes de los defectos ancestrales, considerándolos, claro está, muy progresistamente, pero mostrándolos —quiere decirse no mostrando algo mejor, algo deseable, que es lo que hay que ver— porque el ojo no se cansa de ver y el deseo y todas las fuerzas volitivas van, como corderos, detrás de lo que el ojo ve.

No puedo abstenerme de hablar de lo que vemos en el mercado de imágenes donde hacemos a diario nuestras compras. Ya se ha hablado de lo perniciosa que es la juguetería bélica, los cómics y demás recreativos infantiles. Pasando a las imágenes de gran calibre cinematográfico, necesitaríamos cientos de páginas para *decir algo* de la profanación de la belleza —quiero decir de su valor ético, sagrado— entremezclándola, cruzándola —diría con término de ganaderos, efectivo por su realidad genesíaca— con el crimen. Mucha literatura y hasta filosofía, moral, psicología y conceptos o criterios —y lo que es más grave, sentimientos— de libertad se viene imprimiendo —en el alma, digo, a través de los ojos, puerta real del eros... Pero no es posible, aquí, por lo exiguo del espacio, censurar —ya que censurar es negar y negar no sirve de nada, si no se afirma seguidamente algo factible, deseable, imaginable al menos. Tal afirmación incumbe a los escritores, a los novelistas principalmente, a los creadores de ese arte que se ha dado en llamar ficción. Es muy importante saber que son los que producen ficción los encargados de mostrar la realidad: así son las cosas y, al menos, que sean... En ocasiones como ésta, en las que el escritor se ve limitado a unas pocas líneas, debiendo olvidar toda creación y pronunciar cierta amonestación eficiente, conviene buscar una fórmula más o menos definitoria de la PAZ, un parangón digno, junto al cual se la pueda poner como hito. Me arriesgo a decir que podemos considerar la PAZ como armonía... También se ha dicho ya algo parecido a esto: abolición de desigualdades, dicordias, disonancias, justicia, etc... Justicia, implica —o puede implicar— misericordia, piedad, amor... No, sobre este tema no se puede decir nada en dos palabras, sobre este tema es pecado mortal decir banalidades verosímiles. Es preferible llevar la mente del lector hacia la geometría, suscitar el deseo de regularidad, de sujeción a reglas... ¿Esto parece muy frío, muy inhumano?... Creo que es todo lo contrario porque obedecer a reglas —obedecer, puede ser un acto volitivo y sólo cuando lo es, es algo con sentido—, obedecer a reglas significa ceder —o conceder— a la regla nuestros intere-

ses, tendencias, ambiciones, tentaciones que rompan la
armonía del total, del conjunto que anhelamos radiante
de **PAZ**... ¿Esto parece muy bonito?, pues tampoco es
bonito: aspira a ser sugestivo, si logra conducir la mirada
hacia la belleza de los números.

Rosa Chacel

"LA REVOLUCION TAMBIEN ES
UNA CUESTION DE AMOR"

(De un cartel editado por el F.S.L.N.)

Surgió la mano que empuñó el amor,
comunicando al tierno acero la emoción,
y, en un sencillo gesto,
puso el dedo en el gatillo
y disparó.
Nació la flor:
dispuso sus colores sobre el tiempo,
montó la guardia
y esperó.
Buscó la mano amiga y la encontró.
Y, en una pausa, allá, en la lucha,
mirando el cielo antiguo,
azul, mudando, en esa hora, su color,
bajó la vista, halló otros ojos,
y calló.
Y aquel silencio,
aquella pausa vigilante,
los unió
Leticia se llamaba la mujer,
Rómulo el hombre.

La mano, el tiempo, los colores y el fusil,
el gesto simple, multiplicado ya por mil,

mientras el río renovaba el agua:
Julio fue el mes,
y aquel país es Nicaragua.

Jordi Dauder
9-11-1980

DIPLOMACIA VATICANA

I

Se equivocan aquellos que piensan
que callamos
porque no tenemos nada que objetar
a las acciones del gobierno.
Queremos evitar,
con nuestro silencio,
que se cometan otras, igualmente reprobables,
amparadas en nuestras palabras.

Así arguyen los jerarcas de la Iglesia
bajo el fascismo.

II

Se equivocan aquellos que piensan
que podemos callar
porque no tenemos nada que objetar
a las acciones del gobierno.
Queremos evitar,
con nuestras palabras,
que se cometan otras, igualmente reprobables,
amparadas en nuestro silencio.

Así arguyen los jerarcas de la Iglesia
cuando se inicia la revolución.

III

Se equivocan los jerarcas de la Iglesia
si piensan que no nos damos cuenta
de que, en ambos casos,
quieren evitar lo mismo.

Javier Delgado

SOÑAR ES SABER*

Refulge el tiempo y soñar es saber
Paul Valéry

Si soñar es saber, míralo en sueños recobrar su
/hermosura,
desde el hombre que ha sido
adivinar el hombre que será.
Observa su elegante manera de ignorar
la corrosión perpetua;
su ascensión permanente, sin brillos fulgurantes,
sobre la palabra soez o el gesto innoble.

No radica su sueño en vulgar ignorancia:
la intemporal esfera que ennoblece la luz es su
/objetivo,
la calma en su paisaje natural no es un pretexto.

El tiempo se detiene en quien se sabe hermoso, a pesar
/de mezquino,
en quien se sabe vivo, aunque vea a la muerte
/agrietándole el cuerpo,
en quien se resucita, sin triunfos ni bullicios,
de las continuas muertes a que nos lleva el ánimo.

Se equivocó quien quiso atribuirle
la inexistente negación:
deshechar la realidad no fue negarla
ni pretendió tampoco que el sueño se impusiera.
Elegir no es negar.

Fernando G. Delgado

* Del libro "Proceso de Adivinaciones".

POETICA

"Mas se fue desnudando. Y yo le sonreía."
Juan Ramón Jiménez

Vino primero frívola —yo niño con ojeras—
y nos puso en los dedos un sueño de esperanza
o alguna perversión: sus velos y su danza
le ceñían las sílabas, los ritmos, las caderas.

Mas quisimos su cuerpo sobre las escombreras
porque también manchase su ropa en la tardanza
de luz y libertad: esa tierna venganza
de llevarla por calles y lunas prisioneras.

Luego nos visitaba con extraños abrigos,
mas se fue desnudando y yo le sonreía
con la sonrisa nueva de la complicidad.

Porque a pesar de todo nos hicimos amigos
y me mantengo firme gracias a tí, poesía,
pequeño pueblo en armas contra la soledad.

Javier Egea

A NICARAGUA EN EL SEU ALLIBERAMENT

Obro les finestres i els balcons.
Corro per les cambres
foll d'alegría.
Crido als veins.
Preparo amb tota cura festes i revetlles.
Parlo amb els amics.
Poso anuncis al diari
i escampo pel vent la meva joia.

Faig focs artificials
i corro al mar
a dir-ho als peixos.
Saludo als nubols i als ocells.
Ho crido al sol i a la lluna.
Els trosos del meu cor
es çercan per reunir-se.

Germans
vostres son la llibertat i la vida.
Ara cal restar alerta.
Que mai mes les serps
fagin niu a vostra terra.
Que mai mes tinguin repos.
Que la mala mort les acompanyi.

Eduald Escala

96

A NICARAGUA EN SU LIBERACION*

Abro ventanas y balcones.
Corro por las habitaciones
loco de alegría.
Llamo a los vecinos
Preparo con todo cuidado fiestas y verbenas.
Hablo con los amigos.
Pongo anuncios en el periódico
y esparzo mi gozo por el viento.
Hago fuegos de artificio
y corro al mar
a contárselo a los peces.
Saludo a las nubes y a los pájaros.
Lo grito al sol y a la luna.
Los trozos de mi corazón
se buscan para reunirse.
Hermanos,
vuestras son la libertad y la vida.
Y ahora hay que vigilar
que nunca más las serpientes
aniden en vuestra tierra.
Qué jamás tengan reposo.
Que la mala muerte las acompañe.

* Traducción del autor.

CANCION DE CORRO *

(Para Nicaragua **libre***, esta canción de
alerta* contra **las prisiones sucesivas***)*

En España está Castilla,
en Castilla una muralla,
dentro de la muralla,
      Avila.
¿Qué hay en Avila?
En Avila hay una plaza,
en la plaza hay una iglesia;
   ¿Y qué pasa?
La iglesia tiene una torre,
la torre tiene una jaula,
y dentro de la jaula
   la campana.
¡Ay, pájaro prisionero
   de la jaula,
   de la torre,
   de la plaza,
   de Avila y la muralla,
   de Castilla y sus Españas!

*Isabel Escudero
Escrito en Avila 1982 - Madrid 1985*

* Del libro "Coser y Cantar", Editora Nacional, 1984.

NINFA VELEZ, "DIANA"

Debajo de aquel malinche
que quedó lleno de balas después del combate
(un domingo de Ramos en Condega)
me diste, hace un año, el último beso.
Todavía están las cuatro letras,
las cuatro FSLN que ella marcó
diciéndome que me quería.
Y en la noche brillando las gotas de lluvia
rodaban por sus mejillas.
Vi sus ojos y su sonrisa
y cuando la abracé sentí más fuerte su cuerpo.
La lluvia seguía cayendo,
siguió cayendo en gotas gruesas del malinche
y siguieron rodando por sus mejillas.
La recuerdo cantando el *Cristo de Palacagüina*
y la *Quebradita* y las *Mujeres del Cuá*
y me parece verla triste todavía después de terminar.
        Pero después volvió su sonrisa
y siguió la lluvia y sus ojos abiertos
                                (más bellos aún)
y siguió mi cuerpo sintiendo su cuerpo.
        Hoy hace un año de nuestro último beso
                        (un año de guerrillas)
y me parece solitario este lugar

tan solitario como ninguno otro en el mundo
      (en la noche, debajo del mismo malinche,
      sin lluvia y sin que ella esté conmigo).
Y mi pensamiento fijo en una cruz de cedro
allá en el cementerio de Palacagüina
cuando a un año de nuestro último beso
                (nuestra definitiva despedida)
en esa cruz me parece ver dibujada su cara y su sonrisa.

Juan   Ramón   Falcón

ESTA MAÑANA

En solidaridad con Nicaragua

Tengo una gana enorme
de nombrar al hombre por su aire
y me viene al dedo
su maloliente herencia de explotado

No sé por qué razón
se ha puesto triste este esqueleto
en la oficina
quizás sea la tos
que no me deja descansar
quizás la lectura del diario
esa horrenda afición por la violencia
que tienen los pueblos de la Tierra

En la calle la gente se pelea
como gallos afilan los espolones
y sin mediar un aliento se matan

Nosotros somos los perseguidos
los heredados que soportamos
tanta luna llena de poder
esa manera inaudita de vivir
que tienen algunos pobladores

Tengo el deseo urgente
de volver a nuestra casa
que me abra la puerta la ternura
y el niño de la mano de Sakina
sea el presagio de libertad
que estamos esperando

Jesús Fernández Palacios

ES MEJOR ENCENDER UN CIRIO QUE
MALDECIR LA OSCURIDAD

Como el soldado de la anécdota,
No desconocimos el miedo,
Pero estábamos en nuestro sitio.
Nuestro modesto sitio, era
Revelar destrucciones, crímenes;
Pero sobre todo revelar la combatiente grandeza de este
    pueblo,
Su decisión de victoria
Más allá de ciudades arrasadas a fuego,
de armas de geometría implacable;
Revelar que estas criaturas están más cerca de los
    números, del aire
Transparente del pensamiento, que los laboratorios
De donde salen aullando cifras, monstruos, espantos
Y los hombres renovados cada minuto
Que en estas tierras resisten y vencen,
Garantizan que la historia, que la vida
Tiene sentido, y ese sentido se descubre
Entre estos rostros que pasan, rostros de ayer y de
    mañana
Donde el tiempo arde con la serena confianza
De un cirio en medio de la oscuridad.

Roberto Fernández Retamar

RESPECTO DEL TERCER MUNDO

...somos intransigentes
porque llamamos pan a la necesidad
más esencial del hombre,
y fusil al tareco
más útil para conseguirlo

SECCION DE ANUNCIOS CLASIFICADOS

Se solicita un mundo
sin monopolios
ni policía.
Preguntar por cualquiera
en Asia, en Africa, en América
Latina.

David Fernández Chericián

EN LOS AIRES DE UN REGRESO

Los árboles en el atardecer
miran con los ojos entrecerrados:
el paso del autobús y
de los pastos.
Una película que recordarán
cuando se haga de noche
y el invierno les arranque los ojos.
Más lejanos, contra la montaña azul y
el oro naranja
del poniente
se ve la silueta oscura
de otros árboles
que se bambolean
meditativos, expectantes
cohetes de sombra
que a la hora de la alta noche
volarán, buscarán el cielo,
estallarán en mis sueños
en fiesta multicolor.

El día sin aliento
camina con los brazos caídos
quedan pueblos en el camino
como mariposas tardías

en pos de una luz de bombillas:
Latinoamérica
con su gente dulce y con el sueño fresco
para los que vuelven del exilio.

Estamos acá Benito, Juan, Don Moreyra
para despertar del desdén y del oprobio;
con vuestros abrazos calientes
se va formando un corazón
que comeremos asado esta noche
de nuestros vivos y nuestros muertos.

Rafael Flores

DUDAS SOBRE BLAKE

I

Blake escribió:
"Siempre me ha parecido que los ángeles tienen
la vanidad de hablar de sí mismos
como los únicos sabios."

Yo digo más:
todo ángel es una sombra de hombre,
se aferra obscenamente a su cuello,
hablan con una convicción nacida del expolio,
una seguridad robada a cada hombre.
Y tienen la insolencia
de consolarle por la vacilación en que le sumen,
y gozan hostigando
la huella de su paso por él.
Nadie puede acallar
ese habla altanera
a nuestra espalda
con la que se edifican
las doctrinas angélicas.

II

William Blake se ufana de transformar al ángel en
/haraposo
y al demonio en poeta,

la rueda sigue, el orden
es caos en reposo,
y viceversa, y el poema
jamás es responsable del papel que le asignan,
pues todo personaje
sólo tiene de vida la representación.

Cuando Blake bajaba a los infiernos tan solo chamuscaba
su manto, el oleaje
de su palabra.
Usó bonete rojo, era una ofrenda
a la Revolución Francesa que afilaba sus dardos
al otro lado del canal,
el Terror fue una inmensa explosión gentilicia.
Blake hundió sus manos en la cripta maligna
—como quien se pasea por un sueño simbólico—
y las sacó repletas de dudas y de cuerpos.

III

Blake cuenta, para justificar ciertos azoros,
que Milton escribía encadenado cuando hablaba de
/ángeles
y libre como un ave cuando hablaba de infiernos,
porque —interpreta Blake—
el poeta está siempre del lado del demonio.
Blake se impacienta ante cualquier enigma,
se escuda tras de los ojos ciegos
de sus visiones memorables,
destruye lo que duda;
envejece: va
despeñando a los testigos.

José Antonio Gabriel y Galán

108

ESCUELA CARLOS AGUERO

Desde el cuarto de armas donde estoy
sobre un colchón boca abajo
recuerdo la última noche que estuvimos juntos
cerca de la Laguna de Masaya
                                el 2 de febrero.

Encima de nosotros las estrellas:
el arado, las siete cabritas y otras.
—Cielo, me decías
y yo te lo repetía debajo del otro cielo—.
Al este los faros de la laguna
y el continuo ruido de los animalitos en los matorrales
(como el enemigo que se acerca sigiloso en la guerra)
por eso no podía concentrarme.
                                Ahora
tengo tu último poema frente a mí
y te escribo desde esta Escuela Militar, amor.
Yo he sufrido el tormento de mi partida
y también como vos he llorado.
Pero ya no se cumplirá lo de Quevedo:
tu mal, si es que regresa,
                                contigo se quedará
y entonces moriremos con nuestro mal: AMARNOS.
Ya no profetizarás en tus poemas
                                la DISTANCIA

ni el peligro de ella para los amados.
A fines de abril llegaré
a comenzar la nueva vida,
ahora sí trabajaremos juntos en la Revolución.
Guardá en la misma carpeta tus poemas
con los míos
                como si fueran tuyos
                            poeta.

                                        Gerardo Gadea

MEDITACION EN QUERONEA*

Aquí está lo que sobra:
una dulce carroña para buitres
en medio de este campo.
Pero el sol de oro vibra.
Las alas del insecto,
el olivar, el párpado
del vencedor. ¿Nada cambió la lucha?
Vibran, con la calina,
la luz, la sangre no apagada,
el monte que se aleja, el silencio
sobrevenido. Es
mediodía y los héroes...
Se duermen los amantes enlazados
blancos de tanto amar...
¿Dónde está el vencedor, que no aparece,
que no asiste a la ávida faena
de la recolección?
¿Dónde está, el seco párpado
que ve sólo cadáveres?
Entre todos, trescientos, desarmados,
de dos en dos. (¿Qué cuerpo, si lo sabes,
abraza a qué otro cuerpo?)
De dos en dos, vencidos. Esto queda.
¿Dónde está el vencedor?

Para voracidad
de buitres, preparada
desde el principio estuvo esta llanura.
Para voracidad
del buitre y de la hormiga.
Todo está bien. ¿Quién compartió la patria,
la herida, la derrota,
la gloria, el buitre? ¿Quién comparte
el estío, los vanos
honores militares (la gloria), la mirada,
el talle esbelto, el tiempo (la derrota)?
¿Quién puede compartir más que la muerte
con el cuerpo que ama?

Vivir no es necesario:
la saeta o la espada
atan más que el deseo carne a carne.
Todo a mi alrededor es sólo vida.
¿Dónde está el vencedor?

Por esta sangre alegre, compañera
que la colina sorbe, largo es el mediodía.
Por esta jubilosa mortandad,
que no ha dejado labios que la canten,
largo es el mediodía.
Por esa plenitud que, desdeñosa,
vuelve el rostro al olvido,
largo es el mediodía.
Estos fueron los héroes sin duda.
Es hermoso ser hombre en Queronea:
alimento de buitres.

Antonio Gala

* Cuentos Hispanoamericanos núm. 183, marzo 1965.
  Poemas de un libro inédito del mismo título.

DULCEMENTE ALTIVA

Lo que cuento empezó vaya a saber cuándo
pero las cosas cambiaron el día en que el
primer papelito cayó del tren.

Julio Cortázar

DE tal manera que surgieron salmos con exterminio de
/balanzas
y jueces con flautas furiosas entre cortinas con nata
/de hierro,
escritura de harapos derrumbando escondrijos y mástiles
con otro mar y otro baile de versos en llamas.
Confusión de breviarios ahuyentando altares y templos
para huir por el aire sobre la disidencia y su lengua,
por caminos y almenas entre orugas y monederos vacíos,
por vitrales y celdas, canciones antiguas y ojos de nácar
donde se ocultan las voces y el orgullo que amo,
porque mi sombra se erige en blasfemia cuando a la
/ternura se hiere,
si es la destrucción quien salva a lo muerto
como cualquier sinfonía perversa y sedienta de sones
/altivos en danza,
divertimentos y trenes entre lagos muy grises
donde el nuevo canto es puente, cristal y llave por las
/aguas de imaginación
y fantasía de realidades libres por el mar.

113

Lógico desconcierto que destruye los signos y la
/imposibilidad de la tierra
con la arena clandestina y otros velos que desanillaron
/sueños
cuando en imagen quedó la gloria del ciprés al
/descolgarse
por auditorios y pinturas de escarlata con el fuego de sus
/pasos.
Porque hay quienes levantan sus talones entre arañas
/silenciosas
y conspiran con la nada desde su tumba de cristal
como una diosa que, dormida en el mar, se alejara de
/la desidia
para hacer de la muerte otro mundo con las palabras
/y la música.

Miguel Galanes

DIGNEANDO

El Papa de Roma viene a Nicaragua. Maldice a los sacerdotes que aman a esta tierra más que al alto cielo, manda callar de mala manera a la católica multitud que le pide que rece por las almas de los patriotas caídos y se marcha, furioso, de esta tierra endemoniada.

Penachos de humo brotando de las bocas de los volcanes y de los fusiles; los campesinos yendo a la guerra en burro, con un papagayo al hombro: Dios era pintor primitivo en Solentiname cuando imaginó esta tierra. El presidente Ronald Reagan, que entrena y paga a los invasores, le declara tierra intolerable y la condena a morir y a matar. Por las fronteras arremeten los verdugos, fugitivos de esta tierra o por ella perdonados, y la golpean y la violan y la acuchillan y la queman. Imperdonable es la hermosura de esta tierra contagiosa, de hablar suavecito:

—*Esta es la tierra de la resurrección de los vivos*— dice Tomás Borge, el desatador de alegrías.

Eduardo Galeano
1983

Durante todo este tiempo hemos asistido
al dominio de lo privilegiado.
Ningún signo da cuenta de este lugar.
Los mapas que despliegan convencionalmente sobre el
/papel
todos los lugares, no lo nombran:
no se puede deducir de la tierra
nada que nos aproxime, incluso el mar
nos conduce a bosques muy alejados
y a fronteras políticas ineficaces.
Pero el sendero es claro, la orientación precisa,
aunque provoque en los mercaderes miedo y rencor.
Hay un oasis en medio del tumulto,
un país negro de misterios,
promesa de vida para los exiliados,
el lugar marcado por la ausencia en los mapas:
es fácil llegar hasta el deseo.

Narciso Gallego

I

(ante cierto incierto símbolo nacional de algo, nada)
o un mundo puro y honrado, impuro y deshonrado,
/fiel e igual a
sí mismo, infiel en el campo del honor, convertido
/siempre en deshonor
Un mundo higiénico y cruel ante la silla ejecutiva, la
/tiara, la
tierra papal en perfecto estado (golpe de estado). Se
/desprendió
la cabeza del cuerpo debido al avanzado estado de
/descomposición.
golpe de sangre, ceniza guerra alzamiento pánico
/dolor ante el
alcázar. Papá, llámame, hola, mundo sombrío de
/significados sombríos.
Horror, soledad, vacío, aguda sensación de muerte
/viscosamente
adherida a la espalda. Puerta del perdón. La
/esperanza canta siempre
a lo lejos

II

(Pero, ¿cómo podría olvidar, ignorar aquí
los gritos de niños de mujeres de flores, fritos de
/maderas

117

y piedras, alambres de gritos, espinas de gritos, de
/ladridos,
ladridos de ladridos, de niños, perros, cerdos
/acuchillados en
la matanza, gritos de muebles de camas de
/eléctricas sillas, torniquetes,
fusiles, ahorcados, chirriantes chirridos arañándose
/gritos de olores
que se muerden entre sí paredes gritando gritos,
/gritos que se cuencen
en el cuello espeluznantes gritos espeluznándose,
/gritos cocidos,
recogidos en los cabellos, gritos de pájaros, la
/humanidad en un
solo grito a grito pelado, peludo, pulido, pesado,
/pegado, pagado,
apagado en la huella que el pie deja sobre la
/tierra

Todo mi dolor en un grito universal contra la
/infamia
(De seamos Francos)

III

(la llamada del demonio al pan de todos los dominios,
de todos los demonios)
A los muertos vivos
y a los vivos muertos:
¡Pedid Justicia!   ¡Pedid la Paz!   (neruda) pero no en
/los cementerios
sin remedio, sin remedio, sin remedio, sin remedio

Jesús García Gabaldón

NICARAGUA EN LLAMAS

Ni graniza, ni truena... son balazos.
No te apenes amor, por la cosecha.
Hemos, porque encendida está la mecha,
de apagarla, aunque sea a manotazos.

El cafetal espera los capazos;
mas, roto el corazón por la afrenta hecha,
¿quién, si a su patria la invasión acecha,
deja muda la voz, surtos los brazos?

Mira, amor, tras el báculo iracundo
a la Cía, sus viles poderíos,
su vasto imperio y tu destino inerte;

y verás cómo, dios, en este mundo,
si no quieres ser siervo de sus bríos,
no queda otro camino: ¡patria o muerte!

Andrés García Madrid
1984

EPIGRAMA

*A Nicaragua, a su hermosa y
distinta libertad.*

Hace ya algunos años,
con la libre ternura de los hombres
que temen dominar
—no importa si un país o si dos ojos—,
en su tierra nocturna, somoza, sometida,
escribió este epigrama Ernesto Cardenal:
*Muchachas que algún día leáis emocionadas estos versos
y soñéis con un poeta:
sabed que yo los hice para una como vosotras
y que fue en vano.*
Vosotras, tierras libres, que sin duda
habitaréis mañana el viento de los mapas,
naciones que al final tendréis esa conciencia
de las muchachas jóvenes que se oponen al águila
y el amor entregado del que supo
elegir otro tiempo, otra forma
de mirarse a los ojos;
si alguna vez, sin miedo, emocionadas,
soñáis con un poeta:
sabed que, años más tarde, en Nicaragua,

120

ya sin la larga sombra de los sometimientos,
Ernesto Cardenal escribía poemas
para una nación como vosotras
y que nunca fue en vano.

Luis García Montero

LLEGAN NOTICIAS DE NICARAGUA

Porque Julio Cortázar

Sólo noticias ya entonces
como ahora nos exaltaban,
amigos de fatiga y ocio
frente a una noche larga
dejada en frases e impotentes vasos.
Pero eran más que noticias,
eran el poso, el último, para decirnos
en amistad que no se pierde
lo huidizo, primera muda tras leves iras,
acerca del ser aún honrados.
No ya noticias sino certeza
sumida en voces que perpetuaban
esta obstinada vocación de parias
lejos de toda guerra y toda esperanza.

Adolfo García Ortega

INVOCACION A NICARAGUA EN NOCHEVIEJA DE 1984, Y A CUALQUIER OTRO PUEBLO QUE DESEE SER LIBRE

Vientos liberadores.
Unamos nuestras voces y nuestras nubes apacibles
 para formar un arco iris luminoso
 con todos los países del mundo.

Ya comienza la primavera de los trópicos
 y hay que adoptar las estrategias
 de la liberación permanente.

Distribuyamos con largueza
 los recursos naturales hermosos,
  los recursos fraternos inagotables;
el sol, la poesía,
 la sonrisa, la justicia, el amor,
  y todo el aire libre que rodea la tierra.

Y todo lo demás,
 el oro de papel,
  el oro negro,
   el oro reluciente
   y las hegemonías de hojalata,
 dejémoslas a los preponderantes miserables,
 dejémoslas a los dominadores insaciables.

No doy alternativas,
Exijo libertad de independencia
      (y distingamos)
Exigo neutralismo de bloques. Pero no de justicia.
  Exijo neutralismo de pueblos. Pero nunca de amor.

Secundemos el desmoronamiento
    de todos los imperios aburridos.
Destruyamos los vientos agresivos
    de cualquier instrumento de poder.
La juventud anuncia
    la llegada del día contestatario
      y hemos de abrir de nuevo los armarios
        para desempolvar las ilusiones.

Ha de venir un mundo diferente
    de entendimiento humano
      y abrazo planetario.

Desde ahora,
    debemos prepararnos para salir a recibirlo.

Emilio Gastón

NICARAGUA, 1979

Enfosquiment:
sota la llum calcària,
els voltors.

Pere Gimferrer

NICARAGUA, 1979*

Oscurecimiento:
bajo la luz calcárea,
los buitres.

* Traducción del autor.

ESTE RON JUBILOSO

Las más veces ciertas noticias llegan
equivocadas —pues las equivocan
paternalmente para no turbar
el reposo del siervo de los depredadores—
y hay que leer entre líneas
buscar cables de agencia que sean
de más acá de las fronteras
del american way of life de mierda
para creer que la casa del justo
no ha de ser saqueada por los siglos
de la verguenza y que el maíz del hombre
su dignidad y su tierra pueden
escapar a la usura del tiempo
a la desgracia de los zopilotes.
Pero en esta ocasión los hechos
son distintos: salta en todos los teletipos
un suceso que no puede ya ocultarse
y hay que correr hasta la esquina
para comprar una botella
y apurar este ron jubiloso
con los compañeros de las horas difíciles
y reír y cantar con ellos porque hoy
Nicaragua es noticia y es victoria.

José Agustín Goytisolo

127

NICARAGUA: LUZ AMANECIENDO

Nicaragua: luz amaneciendo. ¿Quién pasa?
¿Es una sombra oculta o es un sordo lamento del
                                    /resquemor del aire?
En silencio brota la sangre por el agua sublimada.
¿Qué furia enardecida va quemando el color
de las hojas de otoño que aún verdean? Dejadla, ya
                                    /amanece.
El viento, puro, airea sus cenizas.

Nicaragua herida: ¿quién guarda tus secretos, ¿quién
                                    /golpea
a tus hijos bien nacidos? El odio
es una esponja irreverente. Nos llueve como espinas.
                                    /Nadie
puede esquivarlo. Se acicala con antorchas de
                        /lluvia irreflexiva
y aún sueña en la noche con los ojos del mar.
Con espeso sudor, ¿cuándo la yerba buena reverdece?,
el hombre va forjando su andadura. ¿Puede
descifrar si la escarcha es de fuego o nieve helada?
Con las manos cortadas por el cierzo y en los ojos la
                                    /sombra
de piedra alucinada, va arando con estrellas su tierra
                                    /prometida.

Golpea con la rabia que aún le queda muros
                    /ensangrentados
de reptiles castrados por el humo.

Oh espejo luminoso de guitarras sonámbulas,
abrid sin demora la libertad al hombre.
Abridle surcos nuevos, surcos fértiles,
con gozo mesurado de excelso regadío. Sólo
así puede saberse llama viva. Puede, a manos llenas,
enterrar bajo palio a la tristeza. ¿Qué tributo de fuego
puede amordazar, no ha muerto, tanto delirio?

Nicaragua incorrupta, pueblo de vena lúcida,
apresad con desprecio al odio enajenado. ¿Quién nos
                    /calentará
cuando llegue el fantasma de la noche? Si el reposo
no apunta es que atardece. Buscadlo con el alba. El
                    /sueño,
qué trémulo relámpago. Se ha quedado dormido en el
                    /crepúsculo.
Qué rescoldo de lumbre adormilada. Avivadle
el aliento que aún respira muy hondo. Respira,
¿quién mueve tanta brisa?, respira hacia la cumbre
por la herida emancipada y henchida de misterio.

Nicaragua: qué adulta tu agonía. Cuánto insulto
podrido absorbe tu latido. Bajo el húmedo suelo
(que nadie toque lo que ya es sagrado)
cobijas, con calor supremo, tu luz más soberana. Sueñas
y ves, qué amanecida, tus montañas libres
alzándote en lo alto, rozando
el labio seco de la angustia. Cuánta llaga,
su luz no arrebatada, en cada amanecer.
Cuánto silencio vivo, vivo y abortado por la ira, cuando
todo el clamor del mundo arde en tu boca.
El mar, qué callado. En él la vida sobrevive. Busca
la paz soñada en cada catarata inadvertida.

Nicaragua: qué absortas en tu cielo sueñan las estrellas.
Volcán de luna llena, de hermosos pétalos en flor
que un día cercenó la madrugada.
En el agua, ¿no escuchas?, perviven sus raíces.

Luciano Gracia
Zaragoza, diciembre de 1984

A NICARAGUA

L'esperança no és només un mot,
                              una gavina
inmòbil en el cel
—paràlisi del desig—
mentre sona, inevitable, una música
que et confirma l'amagatall tou i càlid
de les llàgrimes.

La mort no és només un taüt,
                              un inútil
comiat amb cendra als dits,
una blanca interrogació sobre les ones.

Hi ha camins de cossos i de veus alçades
que enderroquen dia a dia el mur de la derrota.
Hi ha quilòmetres i quilòmetres d'ulls colgats
que assenyalen perennes l'horitzó claríssim.
Hi ha Nicaragua.

Marc Granell

A NICARAGUA*

La esperanza no es sólo una palabra,
una gaviota
inmóvil en el cielo
—parálisis del deseo—
mientras suena, inevitable, una música
que te confirma el escondrijo muelle y cálido
de las lágrimas.

La muerte no es sólo un ataúd,
una inútil
despedida con ceniza en los dedos,
una blanca interrogación sobre las olas.
Hay caminos de cuerpos y voces levantadas
que derriban día a día el muro de la derrota.
Hay kilómetros y kilómetros de ojos enterrados
que señalan perennes el horizonte clarísimo.
Hay Nicaragua.

* Traducción del autor.

A PARTIR DEL RECORD...

"Cafès Momotombo", era un rètol
penjat a un comerç
del carrer Major del meu poble.
Jo era menut d'anys
però com al gra de mostassa
en mi creixia l'arbre exhuberant
de la sempre anhelada Llibertat.
No sabia d'un volcà
anomenat Momotombo
però sí de Nicaragua:
Honduras (al nord) Costa Rica (al sud)
bressolada per dos mars
el Carib i el Pacífic.
País d'aluvió, terra de pas
talment la meva Marca Hispànica.
Amerindes i blancs, mestissos i negres
totes les ètnies conformen una Pàtria
i convergeixen tots *a un sol amor*
"Cafés Momotombo", era un rètol
penjat a un comerç
del carrer Major del meu poble.
A partir del record...
t'estimo tant Nicaragua!

Josep Gual Lloberes
Badalona, Novembre, 1980

A PARTIR DEL RECUERDO...*

"Cafés Momotombo" era un anuncio
colgado en un comercio
de la calle Mayor de mi pueblo.
Yo era pequeño en años
pero al igual que del grano de mostaza
crecía en mí el árbol exhuberante
de la siempre ansiada Libertad.
Nada sabía de un volcán
denominado Momotombo
pero sí de Nicaragua.
Honduras (al norte) Costa Rica (al sur)
acunada por dos mares
el Caribe y el Pacífico.
País de aluvión, tierra de paso
al igual que mi Marca Hispánica.
Amerindios y blancos, mestizos y negros
todas las etnias configuran una Patria
y todos convergen *"a un solo amor"*
"Cafés Momotombo" era un anuncio
colgado en un comercio
de la calle Mayor de mi pueblo.
A partir del recuerdo...
¡te quiero tanto Nicaragua!

* Traducción del autor.

134

CANTA EL SINSONTE EN EL TURQUINO

— ¡Pasajeros en tránsito, cambio de avión para soñar!

—Oui, monsieur: sí, señor
Nacido en Cuba, lejos, junto a un palmar.
Tránsito, sí. Me voy.
¿Azúcar? Sí, señor.
Azúcar medio a medio del mar.
— ¿En el mar? ¿Un mar de azúcar, pues?
—Un mar.
— ¿Tabaco?
—Sí, señor.
Humo medio a medio del mar.
Y calor.
— ¿Baila la rumba usted?
—No, señor;
yo no la sé bailar.
— ¿Inglés, no habla el inglés?
—No, monsieur; no, señor,
nunca lo pude hablar

— ¡Pasajeros en tránsito, cambio de avión para soñar!

Llanto después. Dolor.
Después la vida y su pasar.
Después la sangre y su fulgor.

Y aquí estoy.
Ya es el mañana hoy.
Mr. Wood, Mr. Taft,
adiós.
Mr. Magoon, adiós.
Mr. Lynch, adiós.
Mr. Crowder, adiós.
Mr. Nixon, adiós.
Mr. Night, Mr. Shadow,
¡adiós!
    Podéis marcharos, animal
muchedumbre, que nunca os vuelva a ver.
Es temprano; por eso tengo que trabajar.
Es ya tarde; por eso comienza a amanecer.
Va entre piedras el río...
                —Buenos días, Fidel.
Buenos días, bandera; buenos días, escudo.
Palma, enterrada flecha, buenos días.
Buenos días, perfil de medalla, violento barbudo
de bronce, vengativo machete en la diestra.
Buenos días, piedra dura, fija ola de la Sierra Maestra.
Buenos días, mis manos, mi cuchara, mi sopa,
mi taller y mi casa y mi sueño;
buenos días, mi arroz, mi maíz, mis zapatos, mi ropa;
buenas días, mi campo y mi libro y mi sol y mi sangre
    sin dueño.

Buenos días, mi patria de domingo vestida;
buenos días, señor y señora;
buenos días, montuno en el monte naciendo a la vida;
buenos días, muchacho en la calle cantando y ardiendo
    en la aurora.
Obrero en armas, buenos días.
Buenos días, fusil.
Buenos días, tractor.
Azúcar, buenos días.
Poetas, buenos días.
Desfiles, buenos días.

Consignas, buenos días.
Buenos días, altas muchachas como castas cañas.
Canciones, estandartes, buenos días.
Buenos días, oh tierra de mis venas,
apretada mazorca de puños, cascabel
de victoria...

　　El campo huele a lluvia
reciente. Una cabeza negra y una cabeza rubia
juntas van por el mismo camino,
coronadas por un mismo fraterno laurel.
El aire es verde. Canta el sinsonte en el Turquino...
　　　　　　−Buenos días, Fidel.

Nicolás Guillén

TODOS MIS VERSOS

Vinieron
—mis años sesenta—
Francisco de Asís,
Carlitos Martínez, Coronel Urtecho.

Traían sus sones,
lunas del Caribe
y un ramo de fuego.

Contra el dictador
brindaron, bebieron
y la luz del vaso
milagrosamente
lo llenó de tiempo.

Tiempo de esperanza
Carlitos Martínez,
Francisco de Asís, Coronel Urtecho.

Pero no ha pasado
la amenaza vieja
del yanki a los pueblos.

Y ahora el vino es rojo
de sangre de hombre,
de presentimiento.

Va mi corazón
por los compañeros.
Por Sandino libre
de aves de rapiña
doy todos mis versos.

Antonio Hernández

EN NICARAGUA

El son del viento alegre canta
Canta tristemente el aire
En Nicaragua.

Baila el Caribe en cráteres
De flautas
Y terremotos de liras y degolladas
Gargantas.

Flores de un ayer de luto
Se mustian
Y se acaban
En Nicaragua.

Canta el viento y las doncellas
Cantan
Y los niños de la jungla miran
Por las ventanas
Pasar estatuas de libertad
Y de esperanza
En Nicaragua.

Trágicos fulgores
Luces de arcos iris
Se alzan
Cual contraseñas mudas de titanes
Como lanzas.

140

En almenas vigilantes armas
Al hombro de la noche
Pasan
Por Nicaragua.

Triunfa la jungla del indio
Y el lago de cristal de las montañas
Y en la escuela cantan
Los niños su cultura
Su historia
Su geometría
Su álgebra

Cállense las armas
En Nicaragua.
Y siémbrense de flores
Las fronteras patrias
Y véngase el nenúfar
Con sus mejores galas.

Y el cóndor se vaya
De Sur a Norte llevando
Lejos
La pálida Parca
De un ayer de oprobio
De un sueño de máscaras.

Ramón Hernández
1985

REQUIEM*

Manuel del Río, natural
de España, ha fallecido el sábado
11 de mayo, a consecuencia
de un accidente. Su cadáver
está tendido en D'Agostino
Funeral Home. Haskell. New Jersey.
Se dirá una misa cantada
a las 9,30, en St. Francis.

Es una historia que comienza
con sol y piedra, y que termina
sobre una mesa, en D'Agostino,
con flores y cirios eléctricos.
Es una historia que comienza
en una orilla del Atlántico.
Continúa en un camarote
de tercera, sobre las olas
—sobre las nubes— de las tierras
sumergidas ante Platón.
Halla en América su término
con una grúa y una clínica,
con una esquela y una misa
cantada, en la iglesia de St. Francis.

*Del libro "Cuanto sé de mí"

142

Al fin y al cabo, cualquier sitio
da lo mismo para morir:
el que se aroma de romero,
el tallado en piedra o en nieve,
el empapado de petróleo.
Da lo mismo que un cuerpo se haga
piedra, petróleo, nieve, aroma.
Lo doloroso no es morir
acá o allá...

                    Requiem aeternam,

Manuel del Río. Sobre el mármol
en D'Agostino, pastan toros
de España, Manuel, y las flores
(funeral de segunda, caja
que huele a abetos del invierno),
cuarenta dólares. Y han puesto
unas flores artificiales
entre las otras que arrancaron
al jardín... *Liberame Domine
de morte aeterna...* Cuando mueran
James o Jacob verán las flores
que pagaron Giulio o Manuel...

Ahora descienden a tus cumbres
garras de águila. *Dies irae.*
Lo doloroso no es morir
Dies illa acá o allá;
sino sin gloria...
                    Tus abuelos
fecundaron la tierra toda,
la empapaban de la aventura.
Cuando caía un español

se mutilaba el universo.
Los velaban no en D'Agostino
Funeral Home, sino entre hogueras,
entre caballos y armas. Héroes
para siempre. Estatuas de rostro
borrado. Vestidos aún
sus colores de papagayo,
de poder y de fantasía.

El no ha caído así. No ha muerto
por ninguna locura hermosa.
(Hace mucho que el español
muere de anónimo y cordura,
o en locuras desgarradoras
entre hermanos: cuando acuchilla
pellejos de vino derrama
sangre fraterna.) Vino un día
porque su tierra es pobre. El mundo
Liberame Domine es patria.
Y ha muerto. No fundó ciudades.
No dio su nombre a un mar. No hizo
más que morir por diecisiete
dólares (él los pensaría
en pesetas) *Requiem aeternam.*
Y en D'Agostino lo visitan
los polacos, los irlandeses,
los españoles, los que mueren
en el week-end.

                    Requiem aeternam.
Definitivamente todo
ha terminado. Su cadáver
está tendido en D'Agostino
Funeral Home. Haskell. New Jersey.
Se dirá una misa cantada
por su alma.

           Me he limitado
a reflejar aquí una esquela
de un periódico de New York.
Objetivamente. Sin vuelo
en el verso. Objetivamente.
Un español como millones
de españoles. No he dicho a nadie
que estuve a punto de llorar.

                              José Hierro

NUNCA MAS *

Heridas que no se cierran
y van sangrando
alimentando campos
de ignoradas manos
manos que se levantan
contra el cielo baldío
la palabra baldía
la mirada baldía
por donde el ojo
ya no sabe expresar
las ficciones que pretende.

Ya nunca más, nunca más, nunca más.

¡Cerrad los labios, ojos,
apartad vuestros brazos
oferentes de dádivas
egoístamente piadosas!

Ya nunca más, nunca más, nunca más,
esas heridas nunca
dejarán de sangrar.

Clara Janés

* Del "Libro de alienaciones". Editorial Ayuso, 1980. Colección Endymión.

ELEGIA POR UN NIÑO AHOGADO

Pequeño, frágil y dulce,
amortajado como crisálida inocente,
sobre un lecho tibio de algodones y rosas descansas.
Compañero en el juego de la muerte y sus peces
/de niebla,
adorna tu frente la pureza con su halo de luz
pues hacia el alba has subido desde el fondo de un lago.
La placidez de quien apenas vivió un sueño breve,
el contacto fugaz con un mundo engañoso que no
/conociste
alejan de tu rostro la sombra del miedo,
y desde un abismo de flores mudas y tristes
dulcemente sonríes.
Flor tú mismo,
rosa no contaminada por el roce del tiempo,
a un burlado designio opones tu infinita inocencia
y a la muerte agradeces la crueldad de su abrazo.
Más allá de esta vida otros juegos te esperan.
Pájaros y árboles vestidos de blanco en silencio te llaman
y errante saltarás otra vez bajo el sol en el bosque,
niño sereno que del pecho expulsaste
la amargura del mundo.

Luis Jiménez-Clavería

RECUERDO DE LA LIBERACION
(Sextina)

Venid a ver la sangre por las calles
Pablo Neruda

Estática, fría como la luz
del alba en invierno, como una historia
evocada por museos y estatuas
se alzaba la ciudad, su tibia sangre
detenida. Turbios fantasmas, hombres
de cieno enseñoreaban sus calles.

Desde aquella ciudad, desde sus calles
olvidadas surgió también la luz,
como un viento que poblase la historia
de signos, banderas rojas y estatuas
derribadas; mas hubo gritos, sangre
que inundó la memoria de los hombres.

La muerte fue erigiendo sus estatuas:
proclamaron la paz y era la sangre
sellada por los muros de la historia,
mirando el vencimiento de la luz.
Creed la dura suerte de estos hombres,
venid a ver el miedo por las calles.

Un vuelo de águilas y de sangre
cubrió las bahías. Cielos sin luz
quisieran los dominadores, calles
de espanto que trajesen a los hombres
la fría rigidez de las estatuas,
la forma ausente, vacía de historia.

Arrojaron tierra sobre la historia,
cegaron los rostros de aquellos hombres
levantando cruces, hierros, estatuas
comos sombras inciertas. Y la sangre
floreció de nuevo, llegó a las calles
convertida en un torrente de luz.

Algún día recordarán los hombres
su perfil oscuro, su helada sangre.
No ya cuerpos ni palabras: estatuas
de sal extraviadas por las calles,
remotos adversarios de la luz,
cadáveres vencidos por la historia.

Sobre estas calles crecerá la luz,
sobre las estatuas vendrá la sangre
de otros hombres que construyen su historia.

Antonio Jiménez Millán

PARA UN PAIS QUE NACE

*en la toma de posesión de su primer
presidente democráticamente elegido,
Comandante Daniel Ortega Saavedra.*

Necesitaba de ti, pueblo pequeño
       te anhelaba
desde que los zanates y cenzontles
      en Puebla
me enseñaron a esperar la victoria cada día.

Cholula, Santa María Xixintla
junto a los volcanes Popocatépetl e Ixtaccíhuatl
      y la gran pirámide de Quetzalcoatl
en mi recuerdo están unidos contigo
      hermano mío.

Y ahora, a siete años de distancia
necesito aún más de ti, pueblo gigante
      de tu esperanza
      de tu viril empuje
      de tu arrogancia.

*Guillermina Krause
Madrid, 10 de enero, 1985*

PARA NICARAGUA

Los rumores de otra guerra
me sumergieron en las raíces
enterré mis alegrías con un amor oscuro
y anduve por los monolitos de gran altura
      gimiendo como un niño perdido
tendí cuerdas y até mi corazón a las trincheras
      una y otra noche colgaban de los árboles
ni el sol adivinaba mi suerte
en vano hice una lira para someter las furias
endurecí el brazo, pero la guerra, de horrible cabeza
me arrastró descalzo y sin coraza
aquí la muerte fue un largo viaje
corriendo como los trenes
hice de bestia feroz, e intenté el vano reencuentro
de los presagios
      desde entonces estoy moviéndome como el río
la ciudad que busco entre pájaros
la llevan a cuesta hombres de tez amarilla y ojos
                       /oblicuos
que sollozan de suerte bajo los árboles del camino
yo seguí en el monte
arrastrando una vida
desde mi corazón un niño tiritaba de amor.

Krufú Orifús

Quiero entregarte el agua, Nicaragua,
de los ríos menudos de mi tierra
esos que se acrecientan con el viento
y se quedan pequeños con el cielo
intrépido de agosto. Quiero entregarte el aire
y la ventana y el beso silencioso de mi boca
para que sepas que te quiero
como a una dulce niña enamorada.

Quiero tenerte siempre en la memoria
y vigilar los mares que te rondan
para que nunca puedan sorprenderte
el Aguila del norte y la miseria.
Quiero que estés aquí junto a mi hombro
y al hombro de los hombres compañeros
que luchan y defienden con decoro
la libre libertad de todos pueblos.

Te quiero Nicaragua por tu altura
por tu velocidad de pájaro que anida
en las más altas cumbres
de la gran cordillera de la vida.
Te quiero Nicaragua por tu hombría
y por tu feminidad de suave muchacha
escondida. Te quiero, Nicaragua,
igual que amo a la luz que trae el día.

J.A. Labordeta
Zaragoza, diciembre de 1984

DE NUEVO

A Cortázar

El cansancio de borrar los años
renovando pasados
     Recuerdas?
"Por Vietnam y los Pueblos..." amabas
vencer quizá
    Y ahora
de nuevo comenzar como si nadie
hubiera derrotado nunca a nada
   Sabías
      cuando hablabas
—tan lento
     frente a mi
        y tan seguro—
que en el camino a Managua
         desde ahora
niños de ochenta Mundos
       saltarán
—canturreando—
     de infierno a cielo
como entonces
     de ida y vuelta
en perpetua rayuela?

Javier Lentini

153

BUSCA Y DESENCANTO

Muy de mañana aún (los ébanos silvestres
     de la tundra caliente,
vacíos los establos) salieron a la búsqueda y
     captura de los pájaros
rojos. Hilaron la mañana en rastrillar
     veredas, encinares
y salinas desiertas. Cuando por fin el
     héroe gritó, ya todos
comprendieron que el gran hallazgo daba
     muchos años
en la prosperidad de la certeza...

     Azules, desmayados
como lirios silvestres los pájaros dorados
     yacían repetidos
en los brazos bravíos, como cándalos,
     del héroe.
Vecinos o angustiados, bajamos con las
     sombras
a los llanos: ya nadie confiaba
que fuesen esos pájaros rosados
     los mudos liadores
de nuestra cautividad...

Julio López
Reus (Tarragona)

Por Nicaragua

No atiende llamadas. Está solo
y se ha vuelto vago. Ya dejó la poesía.
Muy tranquilo, cada mañana,
sacude el polvo de sus pesadillas.
Puntualmente, a las siete,
sin que nadie le vea va, hacia el parque,
y asesina a una paloma.

Salvador López Becerra

CON NICARAGUA SIEMPRE

Musa carnal y agreste,
de Rubén a Sandino, cancionero
de guerrilleras gestas
Nicaragua,
huracanado afán de amaneceres
más allá de la noche de los muertos.

De abrojales y páramos semilla
tu mensaje me llega con el viento
y oigo tu voz y escucho el rumoreo
de tus himnos de amor y esperanza,
el clamor de tu pueblo libertario.
Nicaragua,
volcán, cántico ardiente,
música verde de lagos y altozanos,
risco de libertad, hoguera, antorcha
repreñando de azul el horizonte.

Asediado vergel, encrucijada
de la luz y las sombras,
tu combate es el nuestro,
allende las distancias
tu enemigo es el nuestro.
Nicaragua...
contigo, tu dolor es simiente
nos fecundas a todos con tu llanto.

Rafael Lorente

156

EL MISMO MUERTO

Lanzados con temor a la miseria
de anacrónico golpe colonial
los muertos de uniforme resucitan
la vieja hacha por calientes bosques.
Hombres de la era atómica
con pertrechos y ritos computados,
los manipuladores de misiles,
mueren como en las gestas ancestrales
bajo los aviones supersónicos.
Sus cuerpos ruedan como primitivos
combatientes de helénicas leyendas
y en sus pupilas se deshace el sol
lo mismo que en los ojos del medievo.
Van atómicos peces bajo el mar
y va la muerte teledirigida
por el aire que olvidan los planetas
de estigma humano sobre el fuselaje.
Pero la mano herida que conduce
su sobresalto al corazón podría
ser la de un héroe antiguo o un remoto
cazador de planicies africanas,
la del indio aplicándose a su flecha
o la del capitán de espada dueño.
Surte idéntica sangre y se propaga
con el mismo dolor antigua herida

que nunca deja de manar, ahora
y en la hora del fondo de los siglos
y va a fundirse a la inmutable tierra,
a ser igual materia una vez y otra
transformada y que duele en cada uno.

Leopoldo de Luis

RETRATO DE BAÑISTA*

(Fragmento)

Esta es la canción del cazador de perros. (Oxido y ceniza debajo de la lengua.)

Este es el lamento que se oye en la frontera:

"En el centro del viento su mirada me llama, su mirada me llama".

En el centro del viento, la canción olvidada del cazador de perros.

Julio Llamazares

(*) Por solidaridad con Nicaragua, y por amistad con el editor, entrego este poema perteneciente a una muy distinta desolación. Quiero, no obstante, manifestar mi convicción de que lo que los nicaragüenses necesitan son más armas y menos poemas.

PER A UN HOMENATGE

Adesiara,
a les fulles esopides del capvespre,
a l'esfondrada galleda dels somnis,
a les hores furtades, per ventura
en el tedi ensucrat del
"bons dia tenga",
s'obren estranyes flors, llumenerets
blaus de caminat en el crepuscle.

Vet ací, per exemple, Nicaragua:
el vent d'un poble
vinclant espigues tendres,
inflant veles, gavines
cap a llevant,
encenent llumenerets
blaus
—hi arribarem tots plegats algun dia—.

Adesiara,
una rara claror omple les velles
agendes
reblides de telèfons oblidats,
i en el caire tallant del desencís
flamegen grímpoles de festa.

160

Vet ací, per exemple, Nicaragua:
bandera al vent,
la llibertat, un poble
per a tots els pobles,
damunt runes i boscos,
damunt asfalt, porstíbuls, petrodòlars,
rialla clara de l'infant.

(Mentre tancam el llibre llegidíssim,
una esperança de coloms travessa l'entrellum.)

Josep M. Llompart

PARA UN HOMENAJE*

De vez en cuando,
en las hojas aburridas de la tarde,
en el desfondado cubo de los sueños,
en las horas hurtadas, tal vez
en el tedio azucarado del
"buenos días tenga usted",
se abren extrañas flores, lucecitas,
azules de caminante en el crepúsculo.

He aquí, por ejemplo, Nicaragua:
el viento de un pueblo
doblando espigas tiernas,
hinchando velas, gaviotas
hacia levante,
encendiendo lucecitas
azules
—a ellas llegaremos todos juntos algún día—.

De vez en cuando,
una rara claridad llena las viejas
agendas
repletas de teléfonos olvidados,
y en la arista cortante del desencanto
flamean grímpolas de fiesta.

He aquí, por ejemplo, Nicaragua:
bandera al viento,
la libertad, un pueblo
para todos los pueblos,
sobre ruinas y bosques,
sobre asfalto, prostíbulos, petrodólares,
risa clara del niño.

(Mientras cerramos el libro leidísimo,
una esperanza de palomas atraviesa la lejanía.)

* Traducción literal del autor.

DOS CARTAS AL AÑO

Era moreno, quizá demasiado moreno, con un leve rastro de indio en la manera de mirar y el pelo rizado. En la bolera se sentaba en silencio y veía jugar. Los que jugaban siempre se llamaban Duval, Blasquito y el Roberto. Su amigo era Rodríguez, pero ese no iba todos los días. Decía que le aburrían los bolos, pero todos sabíamos que hacía recados en la tienda del padre. Una zapatería llamada "La Rápida. Sanatorio del Calzado", cerca de la calle San Bernardo. Rodríguez era el mejor a los bolos. Eso lo sabíamos también.

El "Indio" se sentaba en silencio y miraba. Era alto para su edad, y delgado y como todos le conocíamos nadie le preguntaba nada. Yo creo que tenía una extraña verguenza por la madre. La madre le iba a buscar a la bolera y eso no se había visto nunca. Un día le llevó un termo con agua fresca porque se creyó que él iba a participar en el campeonato de bolos de San Isidro, primer premio un traje chandal completo con zapatos tenis y bolsa, regalo de "Establecimientos Sotomayor. Confecciones de Señoras y Caballeros". Debió decirle algo a la madre. Algo así como "madre voy a participar en el campeonato de bolos" y la madre le llevó el termo, ya digo. Un termo con agua delante de todos. El "Indio" se puso rojo de verguenza, pero no sé si fue porque la madre estaba allí delante de todos o porque ella se dio cuenta que su hijo le había mentido.

Con nosotros no había necesidad de mentir. Lo adivinábamos todo. Sabíamos que al que llamaba su padre no era su padre. Vivía con la madre, pero no era su padre. Su padre estaba lejos, en América.

—Le llaman el "Indio", como a mí —dijo el "Indio". Rodríguez estaba conmigo y asintió.

—Allí debe haber muchos indios. No es como aquí.

—Pero le llaman el "Indio". Me lo ha dicho.

—¿Cómo es? —preguntó Rodríguez.

—Como yo, pero más viejo. Sin barba, el mismo pelo.

Le enseñó la foto. Rodríguez silbó.

—¡Vaya metralleta!

—Es muy bonita —dije yo— Una metralleta de verdad.

—¿De qué marca? —preguntó otra vez Rodríguez.

—No lo sé. No me lo ha dicho.

—Se ríe mucho. En eso no es como tú.

El "Indio" sonrió.

—Pero se parece a mí. ¿Verdad?

—Es clavadito a tí —mentí.

—Los uniformes no tienen insignias. Así despistan a esos cabrones de los contras. Me ha dicho que es capitán.

—Capitán es un grado alto —dije yo— Lo más que se puede ser es comandante.

—Sí.

—¿Está en la selva?

—Sí.

—Por eso no te escribe, ¿verdad?

—Eso es.

Sujetaba la foto con fuerza. Era la foto de un diario. Podrá ser del "País" o de "Diario 16" o a lo mejor de una revista.

—¿Y qué dice tu padre?

—¿Quién?

—Bueno, quiero decir, Arturo, el que vive con tu madre.

—No dice nada, no es mala persona. Pero él no haría lo que hace mi padre. No lo haría nunca.

Nos quedamos en silencio. Mi padre no hacía nada de particular. Iba y venía al Instituto. El padre de Rodríguez siempre eruptaba cuando salía de la tienda y se tomada un par de cañas en Bodegas Rivas.

—Debe saber disparar bien —insistió Rodríguez que para eso era su mejor amigo— Debe ser valiente. No se llega a capitán con facilidad en la revolución.

—No es suficiente con ser valiente. Hay que ser revolucionario.

¿Cómo sabía eso el "Indio"? A lo mejor era verdad lo de la foto arrancada del diario.

—Me gustaría tener una ametralladora como esa —dije yo, y no mentí.

—Yo tendré una igual. Mi padre me ha dicho que hay chicos de mi edad en su escuadrón.

—¿Cuándo te ha dicho eso? —dije yo y me arrepentí enseguida.

El "Indio" se movió inquieto.

—En una carta.

—Claro —dije yo— ¿De qué otra forma?

—Eso —remachó Rodríguez— ¿Cuándo te vas a ir?

—No lo sé. Pero me iré. Me iré derecho a Managua.

—¿Qué es Managua? —preguntó Rodríguez.

—Donde está mi padre. Allí están en la revolución. Iré al escuadrón de mi padre.

Rodríguez movió el pie de arriba abajo.

—Managua es la capital de Nicaragua —dije yo y el "Indio" me sonrió.

Cuando alguien en la bolera no sabía algo, me lo preguntaban a mí. Yo estudiaba. Mi padre era maestro. Sabía cosas. —Y Nicaragua está en América.

—Ya —dijo Rodríguez— ¿Y cuándo te irás?

—Pronto —dijo el "Indio" y escondió la foto.

Luego, mucho después, dejó de acudir a la bolera. Mi

padre, que tenía amigos en la Junta de Distrito, me dijo que la familia se había marchado a Parla a un piso nuevo. En la bolera Rodríguez dijo que el "Indio" estaba en Nicaragua, capital Managua, haciendo la revolución con su padre. Nadie dijo nada, ni yo tampoco.

Y todos aguardamos una carta del él con el uniforme y la metralleta.

Juan Madrid

PAJARO SOBRE MANAGUA

Ven estallar el aire.

Detrás, una estela de horror cotidiano. Arriba, en el cielo, un ave metálica anuncia así la ignominia. En la tierra, muy poco: libertad, esperanza, dignidad... muy poco; solamente palabras descarnadas en los pechos, encarnadas en la sangre. Otro día. Y el cielo se vuelve a romper. Enormes en su ser, comprueban su pequeñez, minúsculo reflejo de un palpitante espejo eléctrico que no entiende de dimensiones ni de ansias, tan solo de objetivos y de opresión. Mas las rotundas verdades se ofrecen prestas al acribillamiento con estupor, con insolencia, con rabia. Sus silencios vociferantes se elevan sobre el sonido roto y, de nuevo, y siempre, proclaman su destino emancipado.

Cada día rehacen el aire.

En Managua.

Eduardo Manzano Moreno

EN EL FRENTE

De frente, con EL FRENTE. Y van los niños,
las mujeres, los hombres, los ancianos...
con la fuerza del Mundo entre sus manos,
de frente con EL FRENTE de Sandino.

No pasarán los yankis, sus marines;
ni los "Contras" que muerden sus fronteras.
Nicaragua está en pie: guerra a la guerra,
su Paz amurallada de fusiles.

No estáis solos, hermanos: solidarias
manos por el Planeta van sembrando
la enseña de Sandino, roja y negra.

¡Que hoy CIEN PUEBLOS se llaman "Nicaragua",
con sus lámparas rojas avanzando
desde las CINCO PARTES DE LA TIERRA!

Marcos Ana

Puertas al aire, voces,
dragón devorador, pechos
al aire, con cuchillos hay que atacar,
piedras, garras al viento
de la calle, lagarto sonrosado,
carcajadas sonoras, murmullos acerados,
quietos al aire la embestida
aguantando, moviendo las espuelas,
clavando en la herida los hierros,
las espuelas de dignidad,ˆ
banderillas de fuego,
para que nuestros hijos no desprecien,
escupan a la cara,
lo que nosotros tanto despreciamos:
patria o muerte
libertad o muerte,
¿qué tenemos que decir ante esa hermosa
PALABRA?
zumo caliente del mediodía
es
acaso mineral fruto prohibido
para nosotros, que no somos capaces
de gozarla como mujer entera.

Julián Marcos

NICARAGUA

MIÑA lonxana, entresoñada, pobre Nicaragua,
poderoso facho de fe indestructibel,
voz de Rubén Darío e Cardenal
que se ergue, como un son de flauta,
na lumiosa craridade da mañán
e remata perdéndose na luz ouridourada
dunhos lentos solpores incendiados
nos que as estrelas centilan asombradas
sobor do vidrio máxico dos lagos
mentras a brisa canta solermiño
no sagredo corazón dos boscos
e na esperanza cotián dos cafetais
abertos á ilusión e a libertade.
Nicaragua, frol e crisol de mestizaxe,
maravillosa, pequena lúa chea
pra alumar tanta noite á espreita
de poder solprenderte, matarte e devorarte:
douche o meu vello idioma resistente
—popular, agradido, asoballado e vivo—
pra que con él fagas un coitelo
e o chantes no corazón
dos tenebrosos monstruos que te abouran.

Manuel María

171

NICARAGUA*

Mi lejana, entresoñada, pobre Nicaragua,
antorcha poderosa de fe indestructible,
voz de Rubén Darío y Cardenal
que se alza, como música de flauta,
en la luminosa claridad de la mañana
y termina perdiéndose en la dorada luz
de unos lentos atardeceres incendiados
en los que las estrellas centellean asombradas
sobre el cristal mágico de los lagos
mientras la brisa canta acariciadora
en el secreto corazón de los bosques,
y en la esperanza cotidiana de los cafetales
abiertos a la ilusión y a la libertad.
Nicaragua, flor y crisol de mestizaje,
maravillosa, pequeña luna llena
para alumbrar tantas noches al acecho
de poder sorprenderte, matarte, devorarte:
te doy mi viejo idioma resistente
—popular, agredido, ultrajado pero vivo—
para que con él te hagas un cuchillo
y se lo claves en el corazón
a esos monstruos tenebrosos que te acosan.

* Traducción de Pilar Vázquez Cuesta.

"Al caminar hacia la montaña comienza un desprendimiento de tu presente, dejas de ver las cosas que mirabas diariamente, dejas de escuchar los ruidos, y vas entrando... ya no ves los colores... sólo ves el verde... Allí se habla del hombre nuevo, está allá, en el borde, en la punta del cerro que estamos subiendo; más allá del hambre, más allá de la lluvia, más allá de los zancudos, más allá de la soledad".
(Del libro de Omar Cabezas, "La Montaña es algo más que una inmensa estepa verde".)

NO PODRAN SILENCIARTE

No podrán silenciarte compa,
regresarte,
enmudecer las voces
de las mujeres del Cuá.

No podrán volverte páramo,
aquietarte,
olvidar al pueblo que dice
vencer o morir.

No podrán desnacerte,
retornarte,
desandar el camino
era un diecinueve de Julio, ¿lo recuerdas?

Fusil en las montañas
y entre los cafetales
banderas rojinegras
del Frente Sandinista.

Niños que perdieron la vida
esperando la arribada del hombre nuevo.
Campañas de alfabetización
todo era creación y pálpito.
Ahora, esperpentos asesinos
de un mundo llamado libre
aniquilar pretenden la nueva Nicaragua...

No podrán silenciarte compa,
regresarte,
resuenan con fuerza las voces
de un mundo ya despierto.

Cristina Maristany

MES VIDA

Que és bo saber restar quan tot incita
a desistir.
       Tanquem, si cal, les portes
i convertim la casa en un reducte
on cada cosa, a poc a poc, reprengui
dimensions comprensibles i amigues.

Res no ens limita fora del refús
d'aquest espai. En la incertesa granen
veus i més veus, i al lluny el mar proposa
l'impuls del vent i la llum de les rutes.

Sempre el ponent convoca focs i aurores.

Saber restar, vet ací la consigna,
i preservar cadascú el petitíssim
terreny en què proclama, altiu, més vida.

Miquel Martí i Pol

MAS VIDA*

Que bien saber quedarse cuando todo incita
a desistir.
        Cerremos, si hace falta, las puertas
y convirtamos la casa en un reducto
donde cada cosa, lentamente, retome
dimensiones comprensibles y amigas.

Nada nos limita aparte del rechazo
de este espacio. En la incertidumbre vagan
voces y más voces, y a lo lejos el mar propone
el impulso del viento y la luz de las rutas.

Siempre el poniente convoca fuegos y auroras.

Saber quedarse, he aquí la consigna,
y preservar cada uno el pequeñísimo
terreno en que proclama, altivo, más vida.

* Traducción de Elisenda Illamola.

AMOR LIBRE

Revelación, xxi, 1:
Vi un cielo nuevo y una tierra nueva...

1 Corintios, xv, 55:
Ubi est, mors, victoria tua!
a N.

HERMANA, vos y yo hemos cambiado.
Nos separó la guerra
y nos alejó el brazo de la distancia.
Durante la temporada de infierno de los Compañeros,
durante nuestra hibernación de letargo y miedo,
cambiamos.

¿Y somos ahora otros tras la terapia?
No.
Ahora somos quieres éramos y no podíamos ser.
Lo que éramos, y nunca fuimos bajo la represión.

No decíamos lo que queríamos decir.
o lo decíamos en elipsis o por parábolas.
Sentíamos lo que no sentíamos
o no sentíamos lo que sentíamos
o no sentíamos del todo.

Lo que dije en NABUCODONOSOR ENTRE LAS
/BESTIAS
y sólo yo y ninguno de mis plagiarios fue capaz
de decirlo: *"la envolvente estupidez,*
tenaz nodriza amamantándonos", no nos dejaba
ser yo, ser vos, ser ellos, ser nosotros.

Ahora todos despertamos,
no al hombre nuevo sino al hombre mismo.
Al hombre que estuvo muerto y ha despertado
tras la larga hibernación de letargo y miedo,
tras la temporada de infierno de los Compañeros.

Porque, contrario a la experiencia de los Reyes Magos
tras su larga jornada; todo lo contrario que ellos,
nos decimos: sí, ciertamente hubo Muerte,
tuvimos evidencia y no duda de ello;
pero esta Muerte ha sido tierno y dulce Nacimiento
para nosotros, como Vida, nuestra vida.

Sobre tierra nueva bajo cielo nuevo
despierto.
Me desperezo con el gesto del arquero.
El ancestral ademán del primitivo habitante terrestre:
la flexión del brazo derecho sobre el hombro,
y el izquierdo estirado hacia *"La ilimitada*
extensión del yo varonil" —ese vértigo
que fijé en el RETRATO DE DAMA CON JOVEN
DONANTE, y que jamás nadie entre los plagiarios,
esa plaga, fue capaz de entrever ni formular.

UBI EST, MORS, VICTORIA TUA?
Muerte, ¿dónde está tu victoria? —escribió
Pablo, en su carta a los compañeros corinteños.
¿Qué dónde está la victoria de la Muerte?

Pues *"aquí aquí! en el entornado*
desierto mundo del amanecer", que capté ya
en MEMORIA PARA EL AÑO VIENTO
                    /INCONSTANTE
yo, y que ninguno
de mis plagiarios pudo nunca vislumbrar.
En el amanecer amenazante
que ya no es una tentación.

Porfiemos en lo de la victoria de la Muerte.
¿Cómo dicen algunos entre ustedes que no hay
resurrección de muertos; es decir, despertar
de dormidos, de aletargados, de hibernantes?
Porque si no hay despertar, tampoco murieron
los Compañeros.
Porque si los compañeros que murieron no están
vivos entre nosotros, entonces
tampoco nosotros despertamos; entonces
también los que no durmieron, los que no hibernaron
en ellos,
perecieron.

                                    Carlos Martínez Rivas

Y LA PATRIA MUERE*

Hermanos de la madrugada
Bellos calígulas del tiempo recordad si es dada
Vuestra memoria al devaneo
Que en esta pared murió sin ser
Debidamente cumplido su destino
El guardián de la patria: mi deseo.

Aquí, en la piedra que esconde sus señales
En la grieta que el beso no perfora
Quedan y es vicio que la sed no perdona
Sus antiguas lágrimas de nieve.

Poetas, escribientes, artesanos
Qué hacer del oficio de vuestras herramientas?

Morid, morid, dejad
Que la sangre se yerga en sus bastones
Que la vida os colme con su copa y
Huid o morid pues no sois dignos si
La más leve de las hojas muere y la patria muere
Como a una hoja una lluvia de hojas.

José Méndez

* De "El oficio de la necesidad".

180

APOCALIPSIS DOCE*

Cuando suene la séptima trompeta
del rincón ha de surgir la sempiterna
generadora.

A ella se acercará ese dragón purpúreo
que pinta sus escamas, sus diademas
con oro puto.

"Vuelve al desierto, Oh mujer"
—dirá el apocalíptico, dirá el beatus ille—
"Vuelve a acunar las prístinas auroras.
Mantén allí escondidas tu túnica de sol,
tu pisada lunar"

Pero ella sonreirá con el fulgor
de las constelaciones en verano:
Ay del dragón, sin ala que le eleve,
desmoronando así sus muecas cornalonas
cuando suene la séptima trompeta.

José María Merino

* Del libro "Mírame Medusa y otros poemas". Editorial Ayuso, Colección Endymion. Madrid, 1984.

AMEN DE MARIPOSAS
(FRAGMENTOS)

No era una vez porque no puedo contar la historia
de este viejo país del que brotó la América Latina
puesto que todo el mundo sabe que brotó de sus
                                        /vértebras
en una noche metálica denominada
                                        silencio
        de una vértebra llamada Esclavitud
        de otra vértebra llamada Encomienda
        de otra vértebra llamada Ingenio
y que de una gran vértebra dorsal le descendió completa
        la Doctrina Monroe

No contaré esta historia porque era una vez no la
                                        /primera
        que los hombres caían como caen los
                hombres
        con un gesto de fecundidad
para dotar de purísima sangre los músculos de la tierra

La espada tiene una espiga
la espiga tiene una espera
la espera tiene una sangre
que invade a la verdadera

que invade al cañaveral
litoral y cordillera
y a todos se nos parece
de perfil en la bandera

la espiga tiene una espada
la espada una calavera.

Pero un día se supo que tres veces el crepúsculo
tres veces el equilibrio de la maternidad
tres la continuación de nuestro territorio
sobre la superficie de los niños adyacentes
reconocidas las tres en la movida fiebre
                  de los regazos y los biberones
protegidas las tres por la andadura
                  de su maternidad navegadora
                  navegable
                  por el espejo de su matrimonio
                  por la certeza de su vecindario
                  por la armonía de su crecimiento
                  y su triple escuela de amparo
habían caído en un mismo silencio asesinadas
                  y eran las tres hermanas Mirabal
                  oh asesinadas
entonces se supo que ya no quedaban más
                  que dentro de los cañones había pavor
                  que la pólvora tenía miedo
                  que el estampido sudaba espanto
                  y el plomo lividez

                    * * *

(Oigamos
oigamos
esto retumba en el
más
absoluto silencio

muchas unidades navales en todos los océanos inician
                  su hundimiento después
                  de deglutir los archipiélagos

de miel envenenada
grandes ejércitos destacados en la entrada del mundo
comienzan a reintegrarse
a sus viejos orígenes
de sudor y clamor
en el seno de las masas
populares
en el más
en el más categórico y el más
absoluto
silencio)

Porque
hay columnas de mármol impetuoso no rendidas al
tiempo
y pirámides absolutas erigidas sobre las civilizaciones
que no pueden resistir la muerte de ciertas mariposas

y calles enteras de urbes imperiales llenas de
/transeúntes
sostenidas desde la base por tirantes y cuerdas de
armonía
de padre a hija de joven a jovenzuela de escultor a
/modelo

y artilleros atormentados por la duda bajo el cráneo
cuyas miradas vuelan millares de leguas sobre el
horizonte
para alcanzar un rostro flotante más allá de los mares

y camioneros rubios de grandes ojos azules obviamente
veloces
que son los que dibujan o trazan las grandes carreteras
y transportan la grasa que engendra las bombas
nucleares

y portaaviones nuevos de planchas adineradas
invencibles

insospechablemente unidos al rumbo del acero y del
 petróleo
y gigantes de miedo y fronteras de radar y divisiones
 aéreas
y artefactos electrónicos y máquinas infernales dirigidas
de la tierra hacia el mar y del cielo a la tierra y
 /viceversa
que no pueden
 resistir
 la muerte
 de ciertas
 mariposas

porque la vida entera se sostiene sobre un eje de sangre
y hay pirámides muertas sobre el suelo que humillaron
porque el asesinato tiene que respetar si quiere ser
 respetado

y los grandes imperios deben medir sus pasos respetuosos
porque lo necesariamente débil es lo necesariamente
 fuerte
cuando la sociedad establecida muere por los cuatro
 costados
cuando hay una hora en los relojes antiguos y los
 modernos
que anuncia que los más grandes imperios del planeta
no pueden resistir la muerte muerte
 de ciertas ciertas
 debilidades amén
 de mariposas

Pedro Mir

DERRELICTOS*

Entré en el bosque no demasiado tarde
como el tordo que penetró en el jardían de William C.W.
Y recordé que el olor del silencio era tan viejo...
Me oía cerrar los ojos, abrirlos de nuevo.
Y la extensión grávida y el profundo oleaje
y el océano del trigo y las piñas colmadas como bóvedas.
La estrella de mar taló su excrecencia,
cómo temblaron los juncos al borde de un agua dormida.
El bosque tenía orejas, el prado ojos,
y todo se disolvía en la áspera divinidad de la peña
                                                    /silvestre.
Conociendo mi propia cantidad me deslicé,
tan solo era un único elemento inútil al faro de la noche.

César Antonio Molina

* Del libro inédito "Derivas".

186

DE LA FACIL CONQUISTA

1

Hacia mil novecientos cuarenta y dos. Valencia.
Poniente con vilanos y golondrinas. Cielos
en llamas sobre el río. Campanas y sirenas.
El aire, una resaca de rosas derrotadas.
Tú, niño agazapado con memoria de rejas,
contemplas en silencio sin comprender. Tu hermano
mayor, agigantándose por nubes de banderas,
declama y no recuerdas por qué estos versos. *"Eres
el futuro invasor..."* Rejas, sombra, cadenas.
Tu hermano mayor carga las palabras de pólvora,
por qué esta tarde, dando su voz a las palmeras.
"Y domando caballos o asesinando tigres..."
La tarde entera cruje. Toda la mar se encrespa.
*"Son potentes y grandes. Cuando ellos se estremecen
Hay un hondo temblor..."* Hondamente tú tiemblas.
Tu hermano alza los puños. *"Tened cuidado, ¡vive...!"*
Y ya aprietas los dientes presagiando tormentas.
"Para poder tenernos en vuestras férreas garras...!
Los aplausos le turban. Dice: Rubén Darío.
Y oyes por vez primera
nombrar a Nicaragua.

2

Madrid, mil novecientos ochenta y dos. Audiencia
Nacional. Examinas sellos, cintas y rúbricas.

La demanda es un hombre. *"Department of State".*
"At the city of Washington, this first day of November..."
"George P. Shultz, Secretary of State". Ves su firma,
flechas, águilas, barras y estrellas y laureles.
"Son potentes y grandes..." El hombre concedido.
Palacios de Justicia de yeso se desploman
sobre tus hombros. Miras hacia dentro, a lo lejos.
Tu hermano ya no existe. Pero su voz te llega
bajo cielos de acero y de diamante. Clama:
"Son potentes y grandes... Y alumbrando el camino
de la fácil conquista..." Tú de nuevo recuerdas.
Y comprendes. Y dices
otra vez: Nicaragua.

3

Es ya mil novecientos ochenta y cuatro. Voces
calientes ante el foco fugaz de la pantalla.
Los ojos por las crestas airadas del relámpago.
En la mesa se rompen todos los vasos de agua.
Puertos minados, niños con sangre en sus fusiles,
tigres que se resisten bajo las férreas garras,
caballos indomables. No tan fácil conquista.
"¡Tened cuidado, vive...!"
                                     Tu hija pequeña calla
sin comprender. Te mira —tú miras a tu hermano
que ya no está— y pregunta
qué pasa en Nicaragua.

Juan Mollá

FREEDOM NOW

*A la lucha de los negros en los Estados Unidos,
al SNCC*

en el sur de los Estados Unidos
se fabrican ferrocarriles ganchos lámparas
ganchos pintura de uña para señoritas
cremas y helados de chocolate
tinte plateado autos edificios de propiedad horinzontal
      televisores escuelas *democráticas*

se celebra Halloween en Estados Unidos
hay también Alabama Mississippi
       Texas
     la gran Texas rubita y pedigüeña
Birmingham Virginia
     New Orleans—gargajo de los *louis* con Mardí
       Gras y todo

es decir

ciudades misteriosas llenas de gente

que lincha negros y pisa cucarachas

cualquier vaca sureña exclamaría orgullosa:

"en estos tiempos de coca-cola
fuerza nuclear y conferencias internacionales
vale mucho más mi leche
que el semen de un estudiante negro"

Nancy Morejón

PROPUESTA DEL FUEGO
(ANTE LOS SILBIDOS)

Nos fue dado el ritmo que sobrenada los días.
                              /Devueltos
a la danza en torno a la hoguera, encendidos
                    /deshilvanando el lamento
desde el vaivén de la oscuridad y el trueno.
        /Rompen las máscaras en altos oleajes
se quiebran sus muecas en espuma entre dolientes
                              /rocas grises, intactas
de grietas, cobijos y huidas, piedras de escándalo,
                              /aún humeantes
(vorazmente gritan el pedernal y el acero: dioses,
                    /dioses de sacrificio sólo).
Mas nos fue dado el ritmo y el rayo: por constelar la
                              /imágen del fuego
al canto por los morados montes descendido, hasta
                              /el latir
y agitarse de palmeras ceñidas al viento. Nos proclamaron
                              /el agua en las llamas
(allí la hoguera) y cómplices ya sólo de nuestros riesgos
danzamos imprecando al sol: Luces violetas cobijan
                              /tu paso,
ondas rientes con los niños muertos, con los niños
que pacientemente resucitan entre desierto y selva.
                    /Clamor también de gaviotas

191

Porque deseamos revestirnos con las plumas del ave
/vieja
porque nuestros ojos permanecen fijos (riendo) en
/la faz de la impostura,
¿Por qué no habríamos de deletrear hambrientos
/los reinos
de la suplantación y hambrientos recorrer
/parajes donde brotan
fuentes y verdes uvas declinando nuestras roturas?
Como el agrio sabor feliz de un advenimiento.
Hoy también sale la voz (y el sueño) del redil del
/silencio.

Jesús Moreno Sanz

INSOMNE NOCHE DE PRIMAVERA

Relumbrones verdes del otoño en esta mañana de incendio. Se recogen los ojos acosados por la intensidad. Camino a lo largo del cauce del río y mi mano reconoce amiga, aquí y allá, la cordialidad gastada del antiguo pretil. Atravieso aquellos que fueran jardines opulentos de un ya inexistente palacio real. Ni las ruinas han quedado de los orgullosos muros que contemplaran naumaquias y torneos, la bucolica juguetona de cortesanos y ricos burgueses en el prado otrora ameno. Dice la crónica que el palacio fue destruido por los propios ciudadanos, temerosos de que su prepotencia estratégica —frente a los muros de ronda— fuese aprovechada por el invasor. Y sin embargo, ¡qué magnanimidad en las palmeras y en el oro agónico de las enredadas parras!

Recuerdo a Nicaragua.

El caballero teutón procedía de lejanas tierras. Un día se había puesto en marcha deseoso de conocer mundo, y desde entonces, cada vez que llegaba a una corte, solicitaba de su señor posada y ayuda. Cuando leo ahora su historia, en este atardecer invernal como una cuchillada, lo imagino erecto sobre su cabalgadura, ignorando las aguas sucias que descienden la calle y el pulular de los harapientos, o entablando penosas comunicaciones en latín con campesinos centenariamente recelosos ante las armaduras. Cuando llegó a nuestra ciudad bullía en el pueblo la inminencia de la sublevación. Desde la balaustrada del claustro de la Biblioteca, que años después se construyera sobre los rescoldos de la tragedia, cuando ya no quedaban ni agermanados rebeldes, ni moriscos, ni los judíos que prestaran su saqueado solar a la mole de la Biblioteca, reposo la historia entre las caricias de mi amiga y, acosado por sus preguntas, la acompaño hasta su término. El caballero teutón se hacía llevar la enorme y pesada lanza que lo hiciera famoso sobre un carro. Se puso al servicio del virrey y de su corte, una vez presentadas sus credenciales y condecoraciones. Había estado en Italia y conocido a César Borja y a Alfonso de Este. Probablemente le hablaran allí de Francesco Sforza y de cómo se hizo con el ducado de Milán. No dudes de que en su imaginación aventurera se había cruzado el sueño febril de los *condottieri*. Cuando estalló el tumulto y menestrales y campesinos se derramaron por todo el territorio al grito de libertad, el caballero teutón fue puesto al mando de un grupo de mercenarios y de siervos de la nobleza. Murió en las fronteras del reino, degollado por la hoz de un bufón emancipado.

Yo recuerdo a Nicaragua.

Me he asomado al mar en esta insomne noche de primavera. En rededor la huerta reverbera un densísimo aroma de azahares. Hay como una inminencia de tragedia en el latir de la noche. Y os imagino acorralados. Acorralados por el apretujón lacayo de esos vecinos que nunca merecieran serlo vuestros. Embestidos desde el mar desde vuestro propio cielo. Veo deslizarse bajo la fronda de vuestros bosques el rebaño canalla de los sicarios del imperio. Se me encrespan las manos y recuerdo también a Vietnam. O a Chile. Os imagino amontonando toda la rabia de vuestra impotencia, toda vuestra ira, y también vuestra razón, y vuestra justicia, y el valor de vuestro antiguo y pequeño pueblo, apilándolo y atesorándolo todo, pero tejiendo con ello los hilos de la cautela, de una necesaria inteligencia frente al gigante, al

mismo tiempo que la estrategia de alerta arma al pueblo. Recuerdo entonces a Vietnam. Y también a Cuba.
Pero sobre todo recuerdo a Nicaragua.

Joan Oleza
Valencia, noviembre del 84

CON AIRE DE PROCLAMA

Para *Ernesto Cardenal*

Hermano nicaragüense,
compañero:
Yo he visto al pueblo de Madrid en pie
vitoreando el gran suceso:
la entrada guerrillera de Sandino,
o, más concretamente, de tu pueblo
en la dulce Managua.
Se rendía homenaje a Blas de Otero,
—¿qué decirte de él? Tú bien lo sabes:
otro cantor del pueblo—
cuando plenos de euforia,
iluminados por la fe del guerrillero,
varios nicaragüenses
dirigiéndose al pueblo madrileño
hondamente exclamaron:
"¡La tierra, el aire, el cielo
de Nicaragua
es nuestro!"
Por miles las gargantas populares
con fraternal espíritu se unieron
a ese instante de gloria sandinista,
instante hondo, eterno,
por ser generador de libertades,

ya que lo impulsa un pueblo.
Hermano nicaragüense,
compañero:
Yo he visto al pueblo de Madrid en pie,
vitoreando el gran suceso,
que, por tantas razones,
sentimos como nuestro.
Desde el pueblo te hablo:
desde el pueblo...

Lauro Olmo
Diciembre de 1979

VIEJA AMIGA

Por qué escribir un poema
sobre el tema

Si quien tiene que escuchar
no es mortal

La muerte se llama U.S.A.
y no escucha

De qué sirven las palabras
en el agua

Para decirle a la vida
vieja amiga

Y a quienes nos la defienden
mucha suerte

Pues sólo os queda la suerte
o la Muerte.

Fernando Ortiz

NICARAGUA, LA ESCUELA Y EL FUSIL

Dos breves y blancas habitaciones forman la escuela. Decir "escuela" en la reducida y pretenciosa perspectiva de un europeo es nombrar un espacio físico, una institución, una etapa vital, que forman parte de un mundo rutinario, establecido. Mas no es éste el caso de la escuela que evoco. En ella se agolpan los rostros morenos y vivos, las miradas centelleantes desde sus ojos negros de un puñado de niños nicaragüenses. Son hijos de campesinos, y muchas veces campesinos ellos mismos, porque hacen falta también las manos infantiles para recoger los frutos de una tierra que ahora empieza a ser trabajada racionalmente, remediando un hambre milenaria. Esas manos acostumbradas al trabajo prematuro ahora tienen la oportunidad de empuñar un lápiz y empezar a escribir en los rayados cuadernos. Tal posibilidad significa algo tremendamente nuevo para ellos, los pequeños aprendices, y para la misma maestra, muy joven, liberada del analfabetismo no hace mucho y decidida a transmitir, como otros muchos, lo que recientemente ha aprendido en una reacción en cadena, solidaria, generosa, incontenible.

La escuela está en Jalapa, al norte de Nicaragua, ribereño con Honduras. Justamente allí donde los somocistas, los contrarrevolucionarios —o *contras,* según el término con que popularmente son designados—, en frustrado intento de invasión, pretendían establecer un Gobierno que, reconocido por Estados Unidos, asentara la división del país y la guerra civil. No sólo es nueva la escuela; también lo son los cultivos, las viviendas del "asentamiento", en que se han reunido gentes anteriormente dispersas, perdidas, que sobrevivían abandonadas, marginadas de la cultura más elemental, de la asistencia sanitaria, de la misma comunicación humana. "Antes no nos conocíamos, estábamos aislados; ahora somos una comunidad, un pueblo y nos ayudamos unos a otros", me explica la mujer que en la cocina prepara la comida para los niños, con esa lucidez con que las gentes más sencillas de Nicaragua dan cuenta del profundo cambio de vida que han experimentado.

En la escuela dirijo mi mirada a través de la ventana y veo los maizales, los campos cuidadosamente cultivados; más allá, el ganado que pasta pacífico con la mansedumbre de los rumiantes. La perspectiva idílica, sin embargo, está cruzada por la imagen de un soldado, que se apoya en el alféizar de la ventana y mira sonriente a los niños que han empezado a entonar divertidas canciones en honor de los visitantes. Del hombro del soldado cuelga un fusil. La armonía fácil, edénica que inundaba el espacio y el momento se sobresalta, parece quebrarse ante la presencia de las armas. ¿Un fusil en una escuela? ¿No es algo contradictorio? Es sólo el principio de la lección: a no muchos metros de la escuela podemos descubrir los refugios subterráneos, el cobijo de los hombres, mujeres y niños del asentamiento frente a los disparos de mortero, los intentos de invasión, las incursiones que se repiten desde la frontera, la ininterrumpida sucesión de muertes que las madres de Jalapa poco antes nos han relatado.

Resulta que las letras, el derecho a la educación, al trabajo, a la vida digna que se están conquistando son realidades que tienen que ser defendidas con las armas. La utopía de los filósofos ilustrados pensaba que la difusión de la educación y la cultura cambiaría el mundo. Debían tener razón al ponderar la fuerza liberadora de la

200

cultura que tanto terror suscita. Como nos decía la madre de una víctima de los *contras:* "Antes, cuando no sabíamos leer, teníamos una venda delante de los ojos". Pero se equivocaban nuestros abuelos ilustrados al pensar que su vía salvadora era un camino fácil. Parece que cuando la escuela es popular, nacida de la voluntad de un pueblo que quiere redimirse a sí mismo, hace falta un ejército también brotado del pueblo que la defienda. Aunque todos, soldados y civiles, están unidos en un solo grito: " ¡Queremos la paz!"

Regreso de Nicaragua y leo las noticias que inundan la Prensa sobre la situación en Centroamérica, las especulaciones de los analistas, las fintas y compromisos de la política internacional. Mi memoria es asaltada por los versos de León Felipe: "Yo no sé muchas cosas, es verdad. Digo tan solo lo que he visto...". Pero tengo que corregir en esta experiencia al gran poeta, porque por una vez no he visto al hombre adormecido por los "cuentos"; he visto allí, en Nicaragua, crecer realidades altas como torres; he visto a los hombres cultivando los campos que ya eran suyos con el fusil al hombro; he visto a los niños que iniciaban una nueva vida abierta de posibilidades; he oído a las madres hablar con serenidad sublime de los muertos que ofrecían a este presente; he abrazado a gentes para quienes la vida repentinamente ha cobrado sentido. Y les he oído hablar de la patria por la cual están dispuestos a dar su vida; una patria que no es un término retórico con que los privilegiados encubren sus intereses, sino una realidad inmediata, recuperada, devuelta al pueblo.

Carlos Paris

CARLOS FONSECA

Quedate ahí tranquilo, zenzontle,
guardabarranco, güis, colibrí,
que ese ruido estrepitoso de metralla
que te hace sacudir las alas para comenzar a huir
(quedate ahí, no tengás miedo)
aunque en la metralla diga MADE IN USA
la dispara el pueblo con amor
porque en ese instante bajan
a la fosa en la Plaza de la Revolución
                              a Carlos Fonseca
al que viste tantas veces cruzando trochas
para internarse en la montaña,
aquel que en sus ojos llevaba
                              el cielo.

Cony Pacheco

LAS ORQUIDEAS

Acaso estáis perdidos en un viaje
por tierras muy lejanas
y encontráis al infierno besando al paraíso
con ese beso turbio de los desesperados.

He bebido ese beso que la salud estraga,
ese ruido de coco que cae sobre la arena
y su golpe de muerte parece un pisotón
dado sobre el silencio.
Ese desvencijarse de las cosas caídas
que se tiñen de muerte igual que los crepúsculos
cuando pierden su asiento sobre un árbol de horquilla.

Grandes hojas sirvieron mi cuerpo de abanicos
y regué por el suelo todas las estaciones
con un único otoño.

Y perdido llegué a la miseria en torno,
a las pobres casuchas de adobes derruidos,
a la flaca hediondez de todos los techados,
a los raudales de agua que derriban las sillas,
al limo que se cuece bajo el sol virulento
como una espalda llena de erupciones,
al hambre oscura y larga de las miradas niñas
que te persiguen rápidas, como si fuesen manos.

Morboso es el estanque y sus pútridas plantas
gozándose en su inmunda pestilencia.
Sin aire este verdor que ahoga cuanto toca.
Ajena es esta luz. Deshilachados son los días
de quien triste no goza el vigor de esta savia
y se deja vencer de estúpida indolencia.

Pero, en medio de todo, las orquídeas respiran.
Elegantes, excelsas, como damas hermosas
que pasean la seda cruda de sus sombrillas.
Ahí están las orquídeas, en medio del suburbio
como un redoble amargo de inquieto esteticismo.

Pobres los sin conciencia de sus actos
y más pobres aún quienes conscientes
no acertaran a ver: hermosas eran
con su lujo insolente las pérfidas orquídeas.
Hermoso era mirar sus hojas temblorosas
hendiendo su temblor la horrible atmósfera
de llanto y desventura.
Hermosa era su beso llagado por la muerte
y crepitante y dócil como hoguera invencible.

En medio del dolor de tanta mano alzada
hermosa era la vida para quien las vivía.

Pedro J. de la Peña

204

HAGASE LA LUZ

Nicaragua, voz de agua,
ríodepié que se niega a ser estanque
donde abreven manadas,
caudal que se resiste a presenciar
la simienza tendido, y se levanta
para que todas las vocales
sean en el colegio claras,
con las cuales hablar a las mujeres
sin mancharlas.

Nicaragua, querida de Yllinois,
a partir un piñón con Kansas,
amante de Missouri y de Kentucky,
de este jaez te deseaban.

Qué dirán los mineros asturianos;
mercuriales mineros de la Mancha
qué dirán
de tu mar que era mina de plata fugitiva
y es mina de sal atormentada.

Malhaya quien a los pobres
pudre el pan y agosta el haza;
malhaya quien a los pobres

tosiga el agua;
malhaya el tósigo
que tiene marca.

Meliano Peraile

NICARAGUA

corprés la carn esgarrapada plora
poble de fang i molsa nicaragua
entre la por i el plany i les pistoles
només el foc i els fills de la dissort
només la mort i la paraula perseguida
i els llargs carrers sadollats de silencis
la pedra humida el sexe sanglotant
els fils d'aram el pixum de les rates

ah poble de la lluita i de la mort
sobre els teus esquinçalls brollen fusells
amors il. limitats camins de llet
(imperis de saliva llefiscosa
s'aturen contra el mur de les roselles)
s'obrin els solcs de la tendresa els dies
i els horitzons vermells de la victòria
sobre els teus esquinçalls les mares clamoroses
els ossos ennegrits renaixen i renaixen
llancen al vent les cendres de la ràbia
creen la llum floreixen els teus morts
poble de fang i molsa nicaragua

Jaume Pérez Montaner

NICARAGUA*

llora la carne rota y seducida
pueblo de barro y musgo nicaragua
entre el miedo y el llanto y las pistolas
sólo el fuego y los hijos de la pena
sólo la muerte y la palabra perseguida
y las calles ahítas de silencios
la húmeda piedra el sexo sollozante
los alambres la orina de las ratas

ah pueblo de la lucha y de la muerte
sobre tus desgarrones renacen los fusiles
amores infinitos vías lácteas
(imperios de saliva pegajosa
se paran ante muros de amapolas)
se abren días y surcos de ternuras
los rojos horizontes de victoria
sobre tus desgarrones las madres clamorosas
huesos ennegrecidos renacen y renacen
lanzan al viento irritadas cenizas
crean la luz y florecen tus muertos
pueblo de barro y musgo nicaragua

* Traducción del autor.

A ELLS

No em derrotareu, malsons, no em derrotareu!
Morir?
      Es clar que sí.
              Qui no?
Qui es queda per llavor? — deia ma iaia.
Morir?
      Es clar que sí.
              Però
no em derrotareu, malsons, no em derrotareu.

             * * *

Fins la darrera gota d'aquest drama
vosaltres, ignorants, vosaltres em dureu;
vosaltres, germans o traïdors,
vosaltres, poble vell.
Amb cansament als llavis, potser; amb odi
en lloc d'amor, potser; amb un amarg
regust romàntic; però
no em vencereu la ment;
això ben cert que no.

             * * *

Matar?
Aquest càncer final de tota vida, ben segur.
Dempeus, si més no.

(Em matareu? Us atrevireu?)
Dempeus, i altiu, ben dret, sense agonia.
Com una titella xinesa, almenys —si us empenyeu
Com aquell ratolí que feia la mare amb un drap qualsevol.
Dempeus, com un guerrer de "còmic",
així un heroi magnífic vencedor ve del front.
Matar?

***

No em derrotareu, cabrons, no em derrotareu.
Potser dins una cel.la, a pa i aigua,
em tindreu; potser, amb el.lèctrics verins
em ferireu. O no. Potser, només, els anys,
les mil-i-una tempestes cap al clot,
en siguen els botxins. Potser.
No em vencereu, però.
Amb les vostres misèries, no.
No em vencereu, cabrons, així no.

Josep Piera

A ELLOS*

No me derrotaréis, fantasmas, no me derrotaréis.
Morir?
      Cierto que sí.
                Quién no?
Quién queda de semilla? —decía la abuela.
Morir?
      Claro que sí.
              Pero
no me derrotaréis, fantasmas, no me derrotaréis.

* * *

Hasta la última gota de este drama,
vosotros, ignorantes, vosotros me llevaréis
vosotros, hermanos o traidores,
vosotros, pueblo viejo.
Con fatiga en los labios, quizás; con odio
en vez de amor, quizás; con un amargo
regusto romántico; pero
no me venceréis la mente;
bien cierto que esto no.

* * *

Matar?
Este cáncer final de toda vida, bien seguro.
De pie, sin embargo.

(Me mataréis? Os atreveréis?
De pie y altivo, firme y erguido, sin agonía.
Como un títere antiguo, al menos —si os empeñáis.
Como aquel ratoncito que la madre hacía con un trapo.
De pie, como un guerrero de "cómic",
como el héroe magnífico viene vencedor del frente.
Matar?

* * *

No me derrotaréis, cabrones, no me derrotaréis.
Quizás en una celda, a pan y agua.
me tendréis; quizás, con eléctricos venenos
me heriréis. O no. Quizás, sólo los años,
las mil y una tormentas hacia el hoyo,
me sean los verdugos. Quizás.
Pero no me venceréis.
Con vuestras miserias, no.
No me venceréis, cabrones, así no.

* Traducción del autor.

LOS CONFORMISTAS

LOS poetas vivimos, comprendedlo,
muy bien, aquí en España.
La socialdemocracia nos ofrece su casa,
homenajes a muertos prohibidos
en los tiempos de Franco,
libertad de expresión, invitaciones
del Ministerio de Cultura para
ver obras de teatro
el día de su estreno y desde un palco
junto a otros famosos.

No podemos quejarnos, desde luego.
No tenemos derecho.
Podemos, eso sí, hacer libros, contaros
con violento mesura;
encabezar las manifestaciones
de apoyo a vuestra causa
o solidarizarnos
con vuestra lucha, todos
los martes de ocho a nueve de la noche
en las tertulias que, de todas formas,
ya no son lo que eran.

¡Pobres gentes –pensamos– admirables!
Y, mirando a lo alto,
diciendo:
"Que nos vuelvan, al menos, a España los de antes",
los revolucionarios
damos gracias al cielo.

Benjamín Prado

DOS PASAJES DE "LA CRONICA NICARAGUENSE"*

I.

... Mas no todo se trata de aviones
—continuó diciendo el emplumado
huevón—
no siempre las Tonantes Aves Extranjeras
perturban nuestras aves o empañan nuestras cuentas
acosan nuestras ganas de ser nosotros y no otros
hay tantas cosas peores que aviones y otras mejores
créame señor Fernández de Oviedo
ni todo son extraños con télexs y viseras
llevándose las decisiones y las elecciones
los bosques y la fruta aunque también
presentando el país al mundo mediante CaK. O Films
                                        /Productions
en un programa televisivo de 20 min.
donde puede apreciarse al pez sierra
disminuido por el agua dulce del lago de Granada
al tan típico hulero y al guanacaste
al barquito que va a Zapatera
y volcanes volcanes
                    tremendous!
    pintoresco de todos modos, yea,
    y debe hacer mucho calor ¿no?
    pues mira las mujeres no son tan feas the indias

salvajoides de cara claro:
quizá mucho jabón y el perfeccionamiento
del idioma facilitarán pronto la total anexión de todos
/esos
curiosos y rentables lugares
donde se habla español todavía
—y sobre las Isletas y la puesta de sol
se lee por fin The End—.

II.

...Y en tropel de oraciones por aquella otra esquina
San Sebastián el milagrero
llega pero entre sangre
entre bastante sangre
derramada por los de las promesas
con las rótulas por el suelo,
abreviándose y desgarrándose
a merced de una doble Fe sangrienta
ya que interesa retener las Fes
junto a los pocos córdobas ensangrentados para
San Sebastián el milagrero
mientras que el oficiante de toda esta comedia
cargadas las enaguas de seriedad y aceptación
va tan formal delante recogiendo las dádivas de heridos,
/rotos y murientes.
vejando la mañana limosnera
serios los principales, la prescrita
solemnidad de la opresión
en una bien peinada *secuencia*
de terrible significado (tal en Managua y en Enero
del setenta y siete...

¡Ya viene el cortejo!
¡Ya lloró el cadejo! Contempla estos turbios maitines
La CIA vigila con vivo entrecejo.
    ¡Ya viene a lo lejos el cortejo de los labrantines!
Se escuchan pregones de los gallopintos y las coca-
                                            /colas,
    pregones tempranos previstos por cautos genios
                                            /vendedores
    frenazos berridos clamores
    y las cacerolas
    de muchos que, empero, nunca almorzarán.
    ¡Tal llegan las férvidas olas
    de manifestantes a la Catedral!)

Pero en Diriamba
te permites la tarde de la Fiesta del Güegüense
bailar pausadamente con los indios
y hasta se te destina entre marimbas y tambores
para dar unas vueltas
la más bonita danzadera de la fila de las mujeres:
bien supieron que no
fue antojo de borracho ese baile,
no turbiedad no payasada no Madre Patria aunque
sí cosa de familia, un algo.
Un raro y natural acto de amor.

                                        Fernando Quiñones

* De "Las Crónicas Americanas".

PARQUE A MEDIODIA

¿QUE tempo como o comenzo
do outono? Nos magnolios
a moitedume de piñas a abrirse.
E por recendo escolar máximo o que
gardan as páxinas dos libros
por estrenar. Qué cousa o tempo:
uns arriando os brazos da nai,
empezando á escola, outros,
coa barcaxe no peito, prestes
a abrazarse cos seus noutro misterio.

Luis Rei Núñez

218

LA ROCA Y EL MAR

A Nicaragua y a todos los pueblos
que luchan contra esa "roca".

Hay una roca ingente, poderosa,
en la playa eterna de la Historia.
Y hay un mar paciente,
apasionado a veces,
que la embiste sin descanso y sin sosiego.
Y hay un soplo tenaz
que espolea las aguas,
y hay una necesidad
de existencia para el viento.
Y un día, exhausta,
caerá la roca acribillada.
Ensuciará las aguas,
aplastará las aguas
y las aguas sangrarán.
Cuando la calma retorne
será ya siempre el mar,
será ya siempre el mar,
oh vértice de olas
golpeando constante, con brazo de espuma,
la acritud y la dureza.
No existe lo imposible para ti.

Ramón Reig

219

SEGUNDA SALUTACION DEL OPTIMISTA

¿Volveremos a ser, una mañana,
en el lugar cordial de los encuentros,
la cofradía abierta y comunera,
no ya los separados vagabundos
que perdimos la plaza que es de todos?
Qué anchos soportales nos aguardan
donde brindar el vino, el pulque, el pisco,
el cimarrón, el mate, el ron,
absortas nuestras bocas libres
en cotidianos buches de libertad continua,
asidas nuestras manos libres
en mestizajes más hermosos que el esponsal primero,
comunicadas nuestras lenguas libres
alrededor de la redonda lumbre,
cantando, dándonos, bebiéndonos
el cántaro que vierte el canto,
oh magia elemental, sorbo común,
nuestra palabra.
¿Volveremos a ser?

Desde este lado de tu origen, americana tierra,
la encopetada dama de provincias
de su bostezo de decenios sale,
de sus centurias de sordina sale
—ay, caña amarga del quejido,

ay, elegía con poso de café—
y a ti quiere arrimarse como un ascua
y en ti fundirse quiere, en la común hoguera.

  Ardamos dentro de nosotros mismos,
ardamos hasta ser la luz que nos levante
el oro del deseo en la capilla
del pecho recogido, que ser lumbre consagra.
Ardamos juntamente, concertando
la verde vida y el esfuerzo pardo;
los dos colores de la tierra humana.
O en denodado azul de cielo,
o en amarillo alzado en blanco vuelo,
no más izando una dorada ola,
un consagrado trigo, un cántico,
en comunión, en lengua, en alma,
¡el oro que queremos!, ¡maíz de nuestro ágape!
Y así seremos dos orillas que se mojan, se beben y se
                                              /cantan,
y un agua de respuesta, una mañana madrugada
de luz, de libertad, de ensanchamiento,
una común palabra.

José Antonio Rey del Corral

NICARAGUA EN LOS HOMBROS

I

Por la flor decidieron. Y el aroma
comprimió antiguos vinos,
maduró entre las casas, nos miraba
desde los ojos mudos de aquel niño
que nos tuvo en temblor, nos hizo viento.

¡Qué precisos los ojos y qué ciertos
sus silencios de ira y de diamante!

Vegetal e imponente,
qué corta lejanía, la tierra se hizo prieta
trampa para el desastre. Y las palomas
el mar atravesaban, mensajeras
de aquel aroma hermoso, se posaban
en los hombros oscuros del Madrid distante.

Y eras tú la muchacha
de la piel de canela y el fusil certero.
Y eras tú la caricia del muchacho
masticando la selva, las palabras amadas,
los mimbres de los cestos y la lluvia
limpiando al fin la sangre de una noche
inmensamente larga, sometida

al filo mineral y a la celada
de un norte poderoso y hecho al crimen.

II

Intensamente amamos aquel hueco
de la América triste preludiando las flores,
la mañana y el canto,
la risa de los niños, los domingos bien hechos,
los vasares, las manos, los ojos incendiados
de puras insolencias.

Sobre la sangre un día,
en un verano intenso,
se hizo canto la brisa, fue victoria,
hundió la oscuridad.

Era el nombre perfecto.
En el más claro abrazo, sobre el vino
de la celebración
mordimos cada sílaba. Crecía
la nueva Nicaragua en nuestros hombros.

Manuel Rico

MANUAL DE INTELIXENCIA

Vaite á casa do veciño,
que o teu paso non se ablande polo ranxer de minucias
/no bosque,
que non te deteñan as mañas da luz onde apousan as
/infancias e os xílgaros,
que non che falen os rios pois levan miles de anos
/mentindo,
dandolle vida e pan ao veciño.
Vaite á sua casa,
cuspelle razóns de lume no colmo do seu chavolo,
pecha esa maldita porta,
e volve en paz con Deus.

Manuel Rivas
A Coruña, novembro de 1984

MANUAL DE INTELIGENCIA*

Vete a la casa del vecino,
que tu paso no se ablande por el crujir de minucias
                              /en el bosque,
que no te detengan las argucias de la luz donde se posan
                              /las infancias y los jilgueros,
que no te hablen los ríos pues llevan miles de años
                              /mintiendo,
dándole vida y pan al vecino.
Vete a su casa,
escúpele razones de fuego en el tejado de paja de su
                              /choza,
cierra esa maldita puerta,
y vuelve en paz con Dios.

>

* Traducción del autor.

DE PENAS Y PARAISOS DISTANTES

Feliz hace en ocasiones la vana revelación
del jeroglífico, imaginar la música
de vacíos planetas y colocar en el ojo del búho
un epigrama moral, tan definitivo
como la luna del marinero. También algún secreto
aún no compartido por nadie incendia el alma.
El recuerdo de los callejones horribles de Marsella
o el rápido encuentro con la muchacha de negro.

Las olas son infinita espuma: contra cuerpos
y sofocadas barcas estrellan su maravilla.
Similar es el capítulo de la Dicha:
en redes molestas apresadas yace al fin. Tal destino.

Acaso he poseído tesoros más fecundos.
Educado y obediente, he leído los gritos del alma,
la razón volcánica que en combates
sacrificara a plebeyos y duques.
Como un pez, acaricio aún el agua invisible
de amores que hilan aventuras memorables,
y, lento, he recorrido el laberinto de las bibliotecas
y conocí la grandeza de sentirse culpable.

Desde la Europa que es mi leyenda
turbado evoco el crepúsculo estoico,

226

la osadía del astrónomo y el son del caligrama.
Qué difícil vivir amando el oropel y la niebla.
(Hacia otras regiones quisiera viajar. Allí donde es tierno el
vestido rosa de la niña, donde los licores tienen nombre de flor
y se ama al alba. Sueño oscuro el día de
                                        /arena,

y el calendario transparente
o la luna en el cenicero nómada.
La Noche de mi ámbito es generosa en penas:
entre soñar y morir se alarga fatal la línea dibujada por
el insomnio del cardenal cusano. En la agonía escribo el
tomo centenario que relata la magnificencia de Tlön Uq-
bar. Decenas de náufragos dibujaron para sus páginas,
y es bellísimo adivinar los rostros de futuros
                            /impresores.)

José Luis Rodríguez
Zaragoza, diciembre, 1984

EL ACUARIO DEL PRESIDENTE

Octavia respira acompasadamente en su vivienda acuática. Coloca su cabeza sobre el nivel del agua orientada a la luz de una lámpara con una pata apoyada en la herradura de metal blanco que alivia su visión del espacio. Cuando parece cansarse de esa posición gira en redondo sobre su espalda, avanza cautelosa por el reducto acristalado y procura hacer músculos metiendo su cabeza en los pequeños orificios que sólo le van a permitir explorar parcialmente la extraña pecera. A veces se sitúa sobre el espejo del fondo, agitándose en tanto afina su sentido del tacto y se pregunta por el ser que se le yuxtapone.

Junto a ella, cada atardecer, después de un buen paseo, el presidente ajusta en su memoria el presupuesto de armamento USA que habrá de acrecentar pellizcando en el de educación, sanidad y otros mimos sociales. De vez en cuando acompaña con sonrisa anunciadora los chapoteos del animal y esta zoofílica ternura se prolonga hasta familiarizar el ilustre su índice derecho, tan temido por media humanidad, con las extremidades superiores de

Octavia. Cuando ha finalizado el desigual encuentro, el presidente llega a la conclusión de que esa sería una feliz tortuga (porque camina, mira, como y duerme) si no fuera porque a veces se queda en una esquina, funde su cabeza en el vértice, las patas delanteras en alto, los ojos en el límite que da paso al vacío... y permanece así veinte, treinta, segundos, casi en estado de vegetal, alzando hacia la luz su mirada furiosa.

Fanny Rubio

ALGUNOS CRITERIOS SOBRE NICARAGUA

a José Manuel López

Ya no escribimos diarios.
Ese tiempo pasó —nos dijeron—.
Y, así, los avances de las tropas enemigas,
la nueva programación de otoño en tv,
nos sorprenden
cuando más carpetas, más trabajo acumulándose
al fastidio.
Otro tipo de trincheras éstas.
Una organizada defensa del confort,
de la traducción que en los folletos hacen
de esta palabra francesa.
Limitábamos entonces al norte y al sur,
y en las academias
nos advertían del peligro de los otros
y de que dios y de que un hombre no debe
entrometerse
en asunto distinto al suyo.
Bien educados. Todavía se guardan
los papeles que lo atestiguan.
La tragedia entonces no ocurría al otro lado del mar;
quiero decir:
nadie, nada decía.
Ya no escribimos diarios
y la crónica de una guerra

aburre a todos
los que no se están muriendo;
un obús de quince milímetros
nos estalla
en pleno orgullo
si alguien nos dice que sí con desgana,
si se duda de nosotros
o nos quedamos a un palmo
de la suerte
de huir al paraíso donde se es feliz,
como cuentan los cuentos de hadas y los ejecutivos
y nosotros mismos a nuestros hijos.
Nicaragua entonces era el país de los lagos,
toda paz y toda hermosura,
—nos contaron—. Su capital, Managua.
Entonces tú y yo
corríamos por deporte, porque la policía
necesitaba buenos sparrings.
Ya no escribimos diarios.
Nos costaría vergüenza que se supiese
y nuestro nombre corriese por los corrillos
con delgados siseos
y se llegase la noticia al trabajo
para escarmiento,
para que todos lo tachasen a uno
de pobre hombre,
de jovenzuelo
que escribe Nicaragua está ardiendo
con la ternura de un hombre que escribe una carta,
con la misma desesperanza.
Aquí la costumbre, lo propio,
son las agendas vacías,
usar los teléfonos de urgencia,
leer los titulares en el periódico de otro:
AUMENTA EL CERCO AL REGIMEN SANDINISTA
y, aquí, los resultados del último boleto de apuestas,
de nuevo tan inútiles
como los recibos pagados en otros años

y conservados por miedo,
como si fueran recuerdos.
Entonces tú y yo
intuíamos el lugar de la justicia,
aún sin discursos, sin megafonía.
Creer es un acto de amor.
Ahora es cuestión de costumbre.
Sin valor un diario
que repitiese las páginas,
donde se pueda adelantar la vivencia
de engranaje
que nos toca, la que asignada tenemos.
Los pronósticos son: una buena temporada
para el turismo
progresivo descenso del índice inflacionista,
recuperación parcial
de la economía,
inevitable aumento del paro.
Entonces tú y yo,
lo que íbamos a hacer de nosotros, cariñosos,
el amor sin experiencia, y sin ella tampoco
la mentira. A las ideas llegabas por curiosidad,
por dejarse tocar sin sospecha.
Entonces tú y yo.
Todavía. Tú y yo.
Nicaragua es el país de los pumas,
de las escuelas, del reparto.

Y sobre todo, la cita aplazada con la esperanza.

Manuel Jesús Ruiz Torres

UN DESTINO, TAL VEZ, POCO ELEGANTE

"Ahora escribamos este letrero en las paredes
la vida es subversiva."
Ernesto Cardenal
"y somos militantes de la vida."
Mario Benedetti

Hemos hecho el amor en Nueva York,
en San Remo, en Madrid, en Epidauro,
bajo el viento inclemente del desierto
sobre la arena pura de Zakhintos.

Hemos hecho el amor en automóviles,
en pensiones dudosas, sobre el agua
del mar cono delfines,
como lobos también, bajo las aguas
de una ducha caliente y extranjera.

Hemos hecho el amor en Almería,
en Granollers, en Nerja, en Minneápolis,
en Provenza, Católica y Atenas
con la ventana abierta,
con la historia encendida,
con un fulgor de gozo
resbalando en tus nalgas.

No debiera extrañar
(a quien ahora lea)
nuestro actual destino
de amantes combatientes:
roja tú como el pañuelo de Sandino,
alto yo de mirar a las banderas.
Los dos tendidos
                entre la libertad
                        y el mundo.

Alvaro Salvador

NICARAGUA, POR EJEMPLO

Ahora podríamos,
si no felices,
ser, cuando menos,
algo más libres:
    algo más hombres,
menos muñecos,
menos esclavos
de esos cerebros
    que nos manejan
como a peones
en sus tableros
de dos colores.
    Ahora podríamos
vivir la vida,
si nos dejaran
los derrotistas,
    los agoreros,
los invasores
que se disfrazan
de salvadores.
    Ahora podríamos
vivir la vida,
si nos dejaran
Reagan y Cía.

Javier Salvago

EL MILAGRO DE LOS PANES Y LOS PECES

Hasta en la lectura de cualquier Escritura Sagrada caben la imaginación (liberadora) o la ignominia. Como en la fábula de la infancia, que nos mostraba a una abeja y una serpiente entrando en el mismo matorral y saliendo cargadas, respectivamente, con miel y veneno.

Y así, nada más revelador de los propios designios que la lectura de Reagan de la Biblia, donde, al parecer, estaba de alguna manera previsto el despliegue de los misiles y la Guerra de las Galaxias.

Es muy posible que algún día eche mano de tal o cual salmo para justificar la invasión de Nicaragua o su hostigamiento sistemático: en cualquier recoveco de los Macabeos claramente se esbozarán desde la OTAN hasta la táctica de los "contras". Pero esta vez habrá dado en hueso, porque se encontrará enfrente con formidables lectores cargados de razones e interpretaciones muy distintas.

Aun sin conocer la realidad nicaragüense, pocos documentos calan tan hondo como la interpretación dada por el pueblo llano a pasajes que creíamos ya fosilizados. Ese monumento vivo que son los Evangelios de Solentiname demuestra la diferencia que media entre un árbol por el que circula la savia frente a la esclerosis de la religión institucional.

Y entonces vuelve a ser posible el milagro. Allí se explica muy bien. Cuando se ha leído a los pescadores de la isla el de los panes y los peces, se les pide opinión. Y uno de ellos demuestra haberlo entendido mejor que cualquier exégeta. Viene a decir que todos se habían llevado su pan y su sardina, pero recelaban de que los demás hubieran hecho lo mismo y lo tenían oculto, porque no querían compartirlo; pero, alentados por las palabras de Jesús, sacaron su almuerzo y hubo para todos y aún sobró. El milagro se llama, pues, solidaridad.

Y de ahí a la Misa Campesina Nicaragüense no hay más que un paso. Se puede mentir en la propaganda, pero la música (el ritmo, el entramado de los acordes) difícilmente puede engañar. Cuando se oye a Carlos Mejía Godoy o el muestrario colectivo de *Primavera en Managua* sigue percibiéndose la misma savia en circulación, un credo a ciencia cierta. Que bien pudiera ser el de la *Misa Campesina*:

Yo creo en vos compañero, Cristo humano,
Cristo obrero, de la muerte vencedor,
con el sacrificio humano engendraste
al hombre nuevo para la liberación.
Vos estás resucitando en cada brazo que se alza
para defender al pueblo del dominio explotador,
porque estás vivo en el rancho, en la fábrica, en la
                                          /escuela,
creo en tu lucha sin tregua,
creo en tu Resurrección.

                                   Agustín Sánchez Vidal

NANA RANA

Fue la leyenda de aquel dictador
un poco canijo, bastante retaco,
casi un enano.
Chim Pum. Bota de tacón, pistola en la mano.
Que ascendió a los cielos
con grande alaraca y un poco de incienso
de olor a azufre.
Pum. Pum. Ya vino la parca con glauco uniforme
sus huesos de puerco con gusto a roer.
Murió el tiranuelo...
Recémosle un Paternoster.

Esta es la historia de un país inmenso
de altas montañas y grande apetito,
casi un Imperio.
Chim Pum, barra de carmín, misil te regalo.
Que se obsequió un mundo
con una gran frase y mucho talento
regado con sangre.
Pum. Pum, ya quiso la fruta del subcontinente
con gula de obeso robar.
Ahí sigue bregando...
Inventémosle una Pastoral.

Para que no pueda continuar obrando
con este pequeño canto le conmino
a que respete al vecino.

También es la historia de un pequeño pueblo
que en zona pluviosa su tierra defiende
del tirano.
Chim Pum, golpe de azadón, esperanza y llanto.
Que libertad se impuso
con muchos sudores
y sangre valiente.
Pum Pum, ya quieren los fachas de su vecindario
su triunfo estorbar.
Pero en la lucha porfía...
Recémosle un Ave María.
Y así con la ayuda de todos
y el trabajo de pocos, con una canción
siguen trabajando en la Revolución.

Antonio Saura Medrano

LA MUCHACHA GUERRILLERA

Sola estás allí vos muchacha
          en medio del fuego...
acostada en el suelo
          combatiendo en Chinandega.

La noche tiene el cielo borrado
como el pizarrón de la clase
          cuando la pieza del 5to. está cerrada.

Apenas te quitaste el uniforme de colegiala
te pusiste tu ropa de guerrillera
y en el patio del Colegio
una rayuela de sombra quedó,
          donde sólo tu corazón es el que juega.

Aquí en Chinandega suenan los tiros
          por todos lados
y vos te agachás ahí nomás, muchacha,
como si estuvieras detrás de tu pupitre.

Ahora todo es muerte
          y sin embargo vos eras la vida.
Qué dirá tu papá. Tu mamá. Tus hermanos
          que vos eras la única mujercita-
...por qué siendo así la vida, hermosa
el amor se cae al suelo

como cuando un ciego
se tropieza contra un palo.

Por qué lo más salvaje, la fiera,
puede con la garra
arrancarle a un Angel sus alas...

Estás metida en esta lucha, muchacha.
Detrás de las barricadas estás acostada en el suelo
y en lugar de estar en tu cama
            a estas horas de la madrugada,
estás aquí vos muchacha
con tus piernas frías,
las rodillas cholladas y
            con un zapato que se te zafó del pie
y quedó por allá, de lado,
como un bote que hubiera naufragado.

¿Por qué, muchacha?...
¿por quién?... si el novio que conociste
fue aquí en la trinchera
un rifle,
al único a quien le acercaste
con amor tus mejillas.

Todo esto es demasiado triste, insoportable;
            como si el cielo fuera un pozo.

Sola estás vos allí muchacha
            en medio del fuego,
acostada en el suelo
con tu blusa enrojecida.

Fernando Silva

241

SERVIDOR DEL IMPERIO
(DISCURSO)

Una vez más, aquí, considerando el mundo, *trabajando*, la plena ocupación, la dedicación exclusiva —la normal, en mi vida—,
inspeccionado y habilitado por mí mismo,
en esta dependencia al margen de todo gobierno,
sufragado por mi recaudo personal, mantenido por mi
/real gana,
yo, en este año de mil novecientos ochenta y cuatro,
mes de enero (pero lo mismo hubiera podido ocurrir en
cualquier otro ¿Y en cuál?
¿En el siglo segundo antes de nuestra era
o en el tercero, después de Jesucristo?
No sé por qué ese misterioso siglo tercero, ese siglo oscuro, en algún lugar oscuro, como al oriente de cualquier
península, por ejemplo, me atrae, debido a extraños
nombres: Lucios, Poncios, Antíocos y otros semejantes
¿Qué decir, por ejemplo, de Metrodoro de Lámpsaco o
de Estesímbroto de Tasos? —Pero esos eran exégetas
de otras épocas, comentaristas de Homero!, replicará
algún entendido. Qué más da),
yo, como otro Metrodoro o Estesímbroto cualquiera
—¿cualquiera?—, hoy, aquí, en cualquier siglo apócrifo,
en cualquier época perdida —todas son lo mismo—,
me dedico al muy noble oficio de pensar en el mundo, el
único, el absoluto oficio que conozco;
en el mundo y en su fundamental relación conmigo.

Pues bien. Y con el ceño irresoluto,
considero con vaguedad las nubes que pasan, las moscas
/que vuelan,
mientras se diluyen en el vacío las teorías
físicas, metafísicas, antropológicas,
los axiomas y radicalismos que se lleva el viento,
el vocerío de los profetas, de los apologetas,
de los iluminados, de los entendidos: todo y nada.
Y habituado a este silencio diserto, a este ceño mío ca-
racterístico,
contemplo por el balcón el panorama y vuelvo a formular en silencio la pregunta clave: ¿y qué?
Sí, ¿y qué?

Alto es el mundo, sin embargo.
Pero la almendra mística, la otra cara de los dioses,
las verdaderas ciencias ocultas,
son demasiado abstractas para pensar en ellas,
se precipitan y se fugan, se presienten tan solo,
dejan su resonancia, su intencionalidad aérea, su estela,
fuera del alcance de los iniciados.
Me conllevo mejor con los matemáticos.
Detesto las efusiones, las embriagueces, las orgías
/liberadoras,
que no liberan en el fondo de nada;
no deseo ninguna catarsis, no deseo purgarme ni jugar,
ni llorar, ni vociferar, ni espeluznarme ante la tragedia,
aunque haya sido transfigurada por el arte.
El delicado amor al que me entrego es sobrio
y lo vivo muy en silencio, muy en la recámara;
lo vivo, precisamente, no lo ahogo
con amplificaciones declamatorias;
lo dejo manar cómo y cuando quiere,
al hilo de su propio y espontáneo borbotón silencioso;
el delicado amor, la esencial desnudez con la que
/escucho
sus estremecimientos íntimos,
sus esperanzas próximas —y, por lo mismo, un tanto
/locas—,

que apenas modifican mis normas habituales,
yo, un funcionario cualquiera, en cualquier época del
/Imperio,
desterrado, más que destinado, a cualquier lejano lugar,
al oriente de cualquier península,
y que, contemplando por la ventana el panorama, torna
a formular en silencio la pregunta clave: ¿Y qué?

He destinado la mitad de mi vida a sortear escollos,
maniobras, traiciones y defenestramientos —reales o
/figurados—;
más que a medrar, a mantener mi rango.
La otra mitad —y esto es asunto mío—, a este solemne
oficio, único y absoluto, de pensar en nada.
Porque el destierro es doble: aquí, al oriente de esta
marginal península, es una cosa;
derelicto en la tierra, arrojado en el mundo, y sin saber
por qué, es otra.
He superado, sin embargo, la desesperación.
No estoy esperanzado ni desesperanzado.
Me aburren las tareas del Imperio y compadezco al
/tirano
y a sus estúpidos edecanes,
las vulpejas, los banqueros, los Crasos de la especulación,
incluidos los poetas oficiales, los estetas afeminados.
Y, por supuesto, los bestiales mílites,
no por bestiales menos intrigantes.
No me interesan las conjuras, pero por fatiga.
Mi habilidad consiste en mantenerme al margen,
aparentemente entregado a tareas administrativas,
una explotación agrícola que nadie codicia
—¿A quién habrían de interesarle los cereales,
a no ser para defraudar al fisco?—.
Es una coartada para mi vicio oculto:
la meditación, la divagación, el amor discreto.
Desaparezco, a veces, durante días,
con pretextos agrimensores o recaudatorios,
justifico mi sueldo.

Me protegen, además de mi divinidad particular, que ca-
    rece de nombre y que se mantiene muy por encima de
    sus alcances,
mi conocido desinterés por los sextercios.
Ni poder ni dinero ¿cómo despertar suspicacias?
Se me respeta por ciertas habilidades, por ciertas pecu-
    liaridades inútiles y extrañas,
aunque no desprovistas de interés para ellos,
y la ligera sospecha de que, si quisiera, podría
                                        /perjudicarlos
—vástago de su estirpe, como también soy—.
Aferrados a este mundo, creen que gozan; se malgastan,
se consumen en la gallera cotidiana de la bolsa,
la gritería de la política, el enjambre que perdió la
                                        /colmena
y, hecho una piña, rueda de aquí para allá, vociferante,
todos apelotonados en el mismo lugar, donde se
                                        /encuentren,
donde se cueza la algarabía,
mientras, en realidad, son arrastrados por el viento
    contra los peñascos.
Pero ¿y estar allí, y alimentarse y consumirse en ese
    fluido,
el único, el exclusivo lugar del mundo para ellos, la
    tensión máxima?
El poder y la gloria,
necio panal de insectos, que, por supuesto, pican,
me zafo aquí, al este del Edén, no propiamente de sus
                                        /dientes,
sino de su mortal aburrimiento.
Un aburrimiento peligroso, no obstante.
Pero volvamos al comienzo.
Yo, aquí, en mil novecientos ochenta y cuatro, en
    /enero, un mes y un año cualesquiera,
ante el jardín o el campo,
con la inconcreción que me caracteriza,
con el gesto un tanto de poner cara de circunstancias,
levito una vez más, y comprendo y afirmo que existe

                        /algo solemne,
algo que tiene relación con los cielos,
algo que pasa y fluye, algo como una música, o como un
    viento oculto,
como una palabra ininteligible y extraña.
Yo, Metrodoro o Estesímbroto, servidor del Imperio.

César Simón

HABLEMOS, PUES, DE NICARAGUA...

Hablan, quienes las han presenciado, de la insólita belleza que alcanzan las puestas de sol sobre el lago Coabolco o Nicaragua, la mar dulce de los antiguos conquistadores. Pero no quiero escribir hoy tarjetas postales. Me cuentan de la emoción sufrida al reposar en la ladera abierta a la herida del volcán de Solentiname, en las tierras del departamento de Río San Juan. Pero no quiero tarjetas postales. Sé de algunas soledades, amores truncados, historias desgajadas. Del grito colectivo, la sinfonía de gargantas múltiples acosadas por el dolor, en los siglos que dura el estallido del terremoto sobre la indefensa tierra. Pero hoy quiero huir de estas palabras, temas literarios que escapan a la tragedia, a la épica de un pueblo que parece condenado a no ser nunca libre, o a defender su libertad, cuando la consigue, con las venas a flor de piel y en tensión, de la mayor parte de sus habitantes.

Náhuatl, chibcha, maribia, lenguas o pueblos, los nicaragua, los maribio, los cholutecas, los corobici... tantos, de los que sólo nos queda el sonido de una música en las palabras que no pudieron ser devoradas por la historia: pues la historia en su reguero de sangre y latrocinio sólo deja entre los cuerpos y territorios calcinados, las cenizas de las palabras que no logró, en su afán destructor, borrar.

Tan prostituidas las viejas palabras, tan falsamente tras-
cendentales como de seguro malditas. Programas,voca-
blos, todo va sonando a viejo, a gastado. Mientras las
realidades, si no son combatidas a sangre y fuego, permanecen. Realidades como las de Chile —donde se hablaba
de socialismo democrático—, Uruguay, que fuera definida como la Suiza de América, y no hablemos de otras tierras; Paraguay, Haití, Honduras... La revolución es a veces amarga, difícil de comprender y de aceptar por el intelectual, que tiene tanto derecho al respeto de su indivi-
dualidad como el campesino, al que parece darse por
descontado que no le interesa. Pero la revolución, que
tantos sueños destruye se esconde a veces en la leche
que bebe un niño por primera vez, en el hospital que a
un anciano sin familia acoge. La historia de Nicaragua,
como la de todos los pueblos de la otra América, no olvida. La historia, para Nicaragua, como para todos los
pueblos de la otra América, es un camino —tantas veces
parece imposible— por liberarse de la tutela, es decir explotación, de los Estados Unidos del Norte. Cuando no
sirven los políticos corrompidos, o éstos se encuentran
en peligro de ser derrotados, se envía a los marines.
Recordemos sólo algunas fechas:
1912-1916: infantes de marina yanquis imponen el
"América para los americanos", constante de su política
exterior, por la fuerza de sus armas.
1926. Los norteamericanos vuelven a desembarcar en
Nicaragua.
1934. Asesinato de Sandino. Y el embajador yanqui en
Managua, Arthur Bliss Lam, instala en el país la dictadura de los Somoza, "la estirpe sangrienta", como fuera
definida por el periodista Pedro Joaquín Chamorro. A
cambio, tropas somocistas ayudarán a los Estados Unidos en sus sucesivas intervenciones en otros pueblos del
Hemisferio: 1948, Costa Rica; 1954, Guatemala; 1955:
nuevamente Costa Rica; 1965, República Dominicana.
Incluso llegarán a enviar hombres a la guerra del Viet-
Nam.

Por eso las palabras recientes de quienes vehiculizan la política de los intereses norteamericanos, no pueden ser olvidadas. Las palabras de Reagan:

"Nicaragua es la primera agresión real del comunismo en territorio americano... Tendemos a olvidar que aquí, en el hemisferio americano occidental, somos americanos."

Las palabras del Superembajador Kissinger, Presidente de la Comisión Centroamericana, que con nostalgia debe recordar sus heroicas épocas en Viet-Nam , Laos y Camboya:

"En cualquier caso NO estoy en contra de las 'guerras secretas', aunque creo que debatirlas públicamente, tener que debatirlas públicamente, tener que justificarlas ante los medios de comunicación, las hace impopulares."

"Muchas cosas dependen de cómo se resuelva el problema en esa región. Si no conseguimos controlar la situación en Centroamérica, va a resultar imposible convencer a las naciones amenazadas del Golfo Pérsico y de otras zonas que podemos mantener el equilibrio mundial. Debemos emplearnos a fondo y con energía."

12.000 hombres hay siempre preparados para invadir, si necesario fuera, si posible resultara, Nicaragua.

Roja y negra, stendhaliana, es la bandera nicaragüense. Entre la muerte y la sangre debatió siempre su destino. De España a Estados Unidos, en la imposibilidad por hacer de sus viejas culturas una cultura nueva. Ahora lo intenta. Por eso, por pequeñas que parezcan estas tierras del "estrecho dudoso", se habla tanto de Nicaragua, se movilizan los estados de opinión del llamado mundo occidental para agredirla: la preparación sicológica es siempre la antesala de la invasión armada, del golpe militar.

Porque no duele su poder, sino su independencia, su ansia de libertad. Por eso, cuanto hagamos, escribamos defendiendo a diario esa libertad, esa independencia, será escaso, y necesario al tiempo, pues si nuestros medios difícilmente pueden competir con los movilizados por los norteamericanos, nuestra convicción, nuestro esfuerzo, nuestra sinceridad, son infinitamente superiores.

Me hubiese gustado hablar de paisajes. O de literatura. De Rubén Darío a Lisandro Chávez Alfaro pasando por Ernesto Cardenal. Pero estas palabras, hoy, ante la gran palabra, se vuelven secundarias. Uno, de Nicaragua sólo puede hablar recordando nuestra propia historia del 36, es decir: ¿cómo podemos solidarizarnos con ella?

Andrés Sorel

BON DIA

Jo no et puc recordar,
verd país de Nicaragua,
pel teu Carib
—m'hi manquen veles llatines—,
jo no et puc recordar
per les teves mutanyes
ni pels teus cons volcànics
—hi enyoraria uns altres ponents—,
verd país de Nicaragua,
ni pels teus cafetals,
pels teus camps de cotó
— ¿on veuré l'or dels blats
i l'argent d'oliveres,
la voladissa dels pardals,
o la verdor dels pàmpols? —.

Però et recordo molt bé,
verd país de Nicaragua,
per la teva lluita
—que era igual que la meva
com dues gotes de plor
i de desig—,
et recordo molt bé
per la teva gosadia d'esperança
—tan semblant a la del meu poble,
la que jo havia après—,

verd país de Nicaragua,
per com estimaves la terra,
la teva llibertat.

Ara, el meu poema et ve
del meu vespre cansat d'obrir solcs
i esperar que hi davalli la pluja
com un do, com la pau
que encara no hem guanyat.

Ara deu ser l'albada
en el teu verd país.
Jo et desitjo, germà
blanc, negre, germà d'aram,
un bon dia:
que vegis les llavors
començar a germinar.

Joan Soler i Amigó
Badalona, 20 novembre 1980

BUENOS DIAS*

Yo no te puede recordar,
verde país de Nicaragua,
por tu Caribe
—encuentro a faltar velas latinas—,
yo no te puede recordar
por tus montañas
ni por tus conos volcánicos
—añoraría otros ponientes—,
verde país de Nicaragua,
ni por tus cafetales
por tus campos de algodón
—¿dónde veré el oro de los trigos
y la plata de los olivos,
el vuelo de los gorriones,
o el verdor de los pámpanos?—.

Pero te recuerdo muy bien,
verde país de Nicaragua,
por tu lucha
—que era igual que la mía
como dos gotas de lloro
y de deseo—,
te recuerdo muy bien
por tu atrevimiento de esperanza
—tan parecida a la de mi pueblo,
la que yo había aprendido—,

verde país de Nicaragua,
por cómo amabas la tierra,
tu libertad.

Ahora, mi poema te viene
de mi noche cansada de abrir surcos
y esperar que caiga en ellos la lluvia
como un don, como la paz
que aún no hemos ganado.

Ahora debe ser la alborada
en tu verde país.
Yo te deseo, hermano
blanco, negro, hermano de cobre,
buenos días:
que veas las simientes
empezar a germinar.

* Traducción de Elisenda Illamola.

PAJARO PUEBLO, QUETZAL

a Nicaragua

Agónico gorjeo. Jadeante
sollozo hacia la vida. Qué jaleo
de brujo vegetal. Ave chocante
en la espesura del común deseo.
Inquieta fronda en desbandada. El friso
de las justicias terrenales. Llanto
de una muerte sin gloria y sin Perseo.
Luna de menta. En el corral de espanto
el vuelo toma tierra, Cómo era,
vegetalmente, el engallado enciso
de tan alta y locuaz candidatura.
Líder ciego. Cantor sobre el aliso
de la malentonada primavera
que endemonia de muertos la basura.

En el límite adverso, la locura.
El canto que, ni un dios, quiso divino.
La triste melopea de los huertos
se estanca en un riacho clandestino.
¡Cuánto helor en los frutos! Todos yertos.
Yerba oscura en el agua de honda gesta:
¡Qué soldado de viento! Pluma en halo
de tu alada metralla entre las flores.

255

¡Qué voz sin parlamento en ese palo
de tu fronda siniestra!
Pájaro pueblo en vuelo. ¡Vida y muerte
del fresco apio en lluvia! Cómo exhala
rocío patrio por el prado inerte.

El caño de la rosa está sin bala.
El pájaro se mata en los frambuesos
chocando contra el dólar de amargura
en imposibles pláticas y besos.
¡Tapia de buhederas! ¡Ligadura
a la boca y azúcar de una rama!
Mal agüero. ¡Qué mala, mala suerte!
Qué mala estrella tienen los posesos.
Pájaro pueblo, drama
de tendones y alas siempre presos.
Malencamado mango en esa cama
que te hicieron, con prisa, hacia la muerte.
Tenebrado quetzal bajo la trama
de la justicia en las oscuridades.
Quetzal de un solo sol: ¡mata tu mal,
recupera tu cielo, pronto, y sal
hacia ese bosque de tus libertades!

Rafael Soto Verges

EL ULTIMO TELEGRAMA DEL
CORONEL GERINELDO MARQUEZ

Al Puerto Rico que no se rinde

Cabalgando un canelo claro (amarantaamarantaamaranta) el coronel Gerineldo Márquez atraviesa el viento de la desgracia hacia la noche enlutada de guerra total.

A los primeros gallos, cruzaba Rioacha, los cascos del criollo retumbando sobre el puente como los trescientos cañonazos de Francis Drake. Más allá, encontró el campo de amapolas, y reclinado sobre el costillar carbonizado del enorme galeón español, durmió al son de las dentelladas de yerba que arrancaba desesperado el caballo hambriento y cansado. Soñaba Gerineldo que Magnífico Visbal vivía aún, que aún el coronel Aureliano Buendía guerreaba por las islas del norte, y que juntos los tres se encontraban en la encrucijada de un camino recto y soleado que terminaba en una alegre carpa de circo, bulliciosa de niños y gitanos. Justo en ese momento, un creciente alboroto lo despertó a una madrugada aún nochesca: eran las panderetas y las chirimías de Melquíades y su gente, camino de Macondo.

Amarantaamarantaamaranta: los hierros del canelo se hunden hirientes sobre la tierra dura como los raíles amarillos del tren de la muerte. Sonaban ya lejanas las campanas que hacían doblar con su peso (levitando leve) el padre Nicanor Reyna con gusto amargo de chocolate aún en el paladar, cuando dejaba a un lado el jinete la tienda de campaña de Eréndira y la desalmada abuela. No pudo detenerse, pero tampoco podía seguir sin más, y así, el coronel Gerineldo Márquez desenfundó su revólver, vaciándolo contra el aire viciado de la abuela, mientras hombres en calzoncillos, y sin ellos, se escabullían y escondían por todas partes. La abuela apuntó en una libreta los clientes perdidos, sumándolos a la ya larga deuda de la sobrina.

Y la noche no cesaba —amarantamarantamaranta— pero al fin, tristemente, un alba gris perfora tímida la oscuridad, y el coronel Gerineldo Márquez divisa distante la ciudad.

A las afueras, la oficina de telégrafos.

—Aureliano: está lloviendo en Managua.

—No seas pendejo, Gerineldo —gritaron ensordecedores los signos—. Estás en la tierra de Mamita Yunai: es natural que esté lloviendo.

Entonces el coronel Gerineldo Márquez telegrafió a su amigo el coronel Aureliano Buendía las mismas palabras que en antaño pronunciara a Prudencio Aguilar José Arcadio Buendía: "¡Vete al carajo!".

En ese momento, todos los pescaditos de oro mordieron sus respectivos anzuelos, mientras el coronel Aureliano Buendía volvía a sentir que en su pecho latía un puñado podrido de carnada.

Cabalgando alegre su canelo claro por las calles de Managua, que una lluvia feliz alfombraba ahora de flores, el coronel Gerineldo Márquez tuvo entonces la dicha de vivir ese momento en que el mundo se volvió esperanzado para siempre.

Eugenio Suárez-Galbán Guerra

ALÇAMENT DE LA NIT

Aquest home que a mitja tarda
unta unes llesques amb formatge del fort
i un got de vi emplena amb poca cura,
té totes les de guanyar:
el dia veurà com entre els arbres davalla i s'enfonsa;
veurà com tot, a poc a poc, comença de ser remor,
freda remor de mar i d'ombres
que imperceptibles llisquen al bosc ja ençès de nit.
Una nit que arreu va estenent-se,
am clam sord, arrasant tot quant la llum
havia apuntalat amb lent esforç, però no adonant-se
que també l'home, aquest que ha vist això en silenci
i amb aspra sabor de pensa,
sabrà mirar tossut fins escoltar-la en el seu cant...
tot ple, sí, de meravella aixoplugada pels anys.

Alex Susanna
Barcelona-Noviembre de 1980

ALZAMIENTO DE LA NOCHE*

Este hombre que a media tarde
unta unas rebanadas de pan con queso del fuerte
y llena un vaso de vino con cierto descuido
tiene todas las de ganar:
el día le verá descender y hundirse entre los árboles;
Verá como todo, poco a poco, empieza a ser rumor,
frío rumor de mar y de sombras
que imperceptibles se deslizan hacia el bosque
                    / ya encendido de noche.
Una noche que va extendiéndose por todas partes
con sordo grito, arrasando todo cuanto la luz
había apuntalado con lento esfuerzo, pero sin darse
                                        /cuenta
que también el hombre, éste que ha visto esto en
                                        /silencio
y con áspero sabor de pensamiento,
sabrá mirar tozudo hasta escucharla en su canto...
todo lleno, sí, de maravillas protegidas por los años.

* Traducción de Jordi Dauder.

ALGO ESTALLA DE PRONTO

La muerte es como el sueño,
parecida a ti:
no puede ser pensada.
Abro los ojos y amanece el día.
No hay obsesión impune, ni fantasmas
que la luz no devore
sin más imperio que su voluntad,
ni otro poder que el sol que nos despoja.
Cómo olvidar que fuimos lo innombrado,
lo que negaba oscuridad a un mundo
hecho, como tú y yo, de sueños rotos.
No duermas, no, mi amor. El pájaro del alba
dice que ayer no existe. No hay memoria,
ni significa nada. Solo, mira
esta pasión que nos acoge, que
ha estallado, de pronto, insobornable,
como las ganas de vivir.

Jenaro Taléns

SI ADELITA SE FUERA CON OTRO

"Yo la seguiría por tierra y por mar"
(De un corrido cantado en
las Segovias)
*"Eres los Estados Unidos,
eres el futuro invasor."*
Rubén Darío

No sanará jalapa mi duelo,
ni yo sacie su ausencia de guayaba,
ni acaso el licor que guarda ceiba
libe el recuerdo si así ocurre.

País de terremotos, de cedro
el bosque bajará la ardilla roja
a buscar su rastro sobre un lago.
De índigo la ropa de los sueños.

Veintidós de febrero será hoy,
como al treinta y cinco Cosigüina.
Tronarán cada hora los volcanes
y Moncada eterno, pese a todo.

Desde la laguna de las Perlas
a las minas de Nueva Segovia.

Si el puerto de Corinto arde en llamas
y trae la muerte un pájaro negro.

Si por mar en un buque de guerra
y si por tierra en un tren militar,
marcharía al Cerro del Común,
si Adelita se fuera con otro.

Juan José Téllez Rubio

SABEN A...

saben a dios a nada
saben a esparto a mirra
a cal saben a muerte
a sed sol y saliva
amarga a mar de otoño
a palomas en celo
a unas vino y ansias
saben a sal a lluvia
en olivos vareados
a lágrimas a raíz
de la alegría a miel
el pájaro que canta
su pena y el dolor
como cristal herido
saben a tierra azul
recién arada saben
como el hombre desnudo
culpable e inocente
las palabras.

Manuel Urbano

264

UN HOMBRE CRUZA LA CALLE
A LA ALTURA DEL PARALELO DOCE

Cruzas la calle lento.
Las casas frente a ti de madera alineadas
se apoyan y resbalan cayendo en el Caribe.
Y si cualquiera de ellas podría ser la tuya
o esa chica peinándose tu hija,
el dominó en la mesa
esperaría tu juego de siempre bajo el árbol.
El cielo azul, la sombra del poste sobre el polvo,
los cables anudados en la tabla de esquina.

Cruzas la calle lento.
Desde el suelo un periódico grita muertes leídas.
La guayabera deja
que a secarte el sudor alcance el viento,
como lo hacía la brisa aquellas tardes
en que comías despacio dulces uvas de mar
con tu infancia descalza.

Cruzas la calle lento.
Descifras el letrero del pequeño comercio
como aquel que en tu calle encerraba unos ojos
muy negros y brillantes invadiéndolo todo.
Pero también recuerdas que el sudor muchas veces
se agolpa en la profunda cicatriz de tu vientre.

Cruzas la calle.
Te parece sentir de nuevo el grito,
oler la carne penetrada,
mojarte la camisa con la sangre surgida.
Revives el dolor de la rodilla al golpear la piedra
—te tiraste de lado, agazapándote,
al oír el disparo que sabías buscábate—.

Cruzas la calle lento.
Ya no existe tu casa y no la esperas,
no es tu calle esta calle
ni el fango de tu pueblo conoció de este polvo.
Años de herida, sudor, cicatriz y recuerdos de la piedra.
Años oyendo el tiro y cruzando la calle lentamente.

Cuidaste un tiempo gallos de pelea.
Cruzas la calle.
Los días en la gallera. Cansado. Harto de gritos y
                                    /espolones.
Cruzas la calle lento.
Y sin embargo héroe.

Jorge Urrutia

266

CARTA A LUIS ROCHA, EN NICARAGUA

Te escribo desde el aire, Luis, volviendo de ver
Nicaragua, por fin, mi ilusión de muchacho
lírico, lo que había detrás de aquel acento
en voces de poetas que me colonizaban
ayudando a mi voz a sentir el calor
de lo nombrado, el jugo de la vida en la lengua.
Nadie esperaba entonces que un día en esa magia
llegara a haber combate y muerte, rebeldía
de pobres oprimidos, milagro de victorias.
A veces los poetas quedamos abrumados
por lo que fue voz nuestra, vuelto contra nosotros:
dichoso y raro el que es digno de su palabra
cuando llega a probarle el ángel de la historia.
Hoy tengo que decirlo: Nicaragua me ofrece,
tras de aquel viejo son, otra lección más alta:
yo nunca había visto la cara de los pobres
con fulgor de esperanza, en lucha tras las muertes;
no les había oído conquistar un lenguaje
como a tientas, probándose altos vocabularios
de nuevas entidades, decisiones, ideas.
Aquí pasó algo siempre increíble: un pequeño
pueblo inerme y hundido venció a su dueño armado,
al siervo de otros siervos de la máquina fría
del capital en marcha, la acumulación ciega
que devora a los hombres para crecer, haciéndolos
esclavos del supremo Faraón automático,

levantando pirámides inútiles con su hambre
para redondear la ganancia final.

Porque a eso va marchando —si Dios no lo remedia
con hombres como he visto ahora, y otros hombres
de otros países y años, que han abierto salidas—
la civilización "cristiana-occidental"
—"cristiana", muchos siglos de golpear con la cruz
para robar al pobre y asesinar al débil—.
Y la máquina, andando, se reviste de gloria,
compra todo lo bueno, lo bello, lo sublime
—aunque después el arte, traidor, hunda en olvido
al vendedor y al dueño, y se vuelva de todos
(o así lo espero yo, vendedor de lenguaje;
o de meta-lenguaje, más bien, porque mis versos
los regalo de balde, a ves si hay quien los quiera).

¿Se va a salvar el hombre, va a poder ir viviendo
mejor o peor, humano, con todo abierto a todos,
sin paraísos, pero con su ración bastante,
en un mundo en que quepa enmendar los errores?

A la orilla del lago —todo un mar—, en San Carlos,
se abría, por la fiesta de cuando huyó el Gran Jefe,
un pobre lavadero, millonario en paisaje,
y, tras los figurones danzantes, iban carros
de bueyes con letreros; y uno, "Peor es nada",
me dio la metafísica de la revolución.

Otras muchas estampas llevo, que me desbordan:
por ejemplo, el abrazo de José Coronel
Urtecho, viejo poeta, saliendo de su selva
por el enorme río, con nueva juventud
de voz y de mirada ahora en la realidad;
o el jefe guerrillero, hoy jefe de cultivos,
que leía a Stendhal en el gran helicóptero
donde íbamos, con niños armados y con poetas;
o la misa, entre madres de muertos, celebrando

268

tres años de victoria; y cuando me dijeron
que hablara, confesé: Revolución se llama
un alto amor al prójimo, bajo el amor de Dios.

Si esta carta tuviera, Luis, más tranquilo aliento
elogiaría ahora a los que en tales luchas
de la humanidad son los héroes más excelsos:
aludo a los escasos traidores a su clase,
a los nacidos dentro de un mundo a favor suyo,
que un día desertaron, pasando al bando pobre
para ser luz y riesgo, y a la vez cuerpo extraño.
Pero no es el momento de grabar medallones:
mientras regreso, crece la amenaza, el ataque.
El filo de la historia hoy cruza Nicaragua.
Si hay milagros como éstos, otros pueden seguir.

José María Valverde
(Julio 1982)

MANAGUA EN FIRENZE

Enriba eran as pombas e zoaban
outras pombas mecánicas, e chios
multicolores e chios cavalcánticos.
Aqueles anteollos procuraban
diante de ollos amuruxados, cansos
e perante de ollos centenários
incógnitas ou claves labirínticas.
E a praza era unha cor como unha pedra
anil, esmeraldina ou simplesmente
unha filtraxe de cristais ou ónices.
De súpeto escoitou-se a treboada
do *bazooka*. Nas pedras ecoaban
os estralos, e alguén abofellaba
que se vira tremando no sartego
ao vello Pitti. Aterraba na Piazza
un vento azul de frente sandinista
chegando decabalo dunha estrela
inomeábel. Aló no companário
ouviu-se unha picada monocorde
servindo a contraponto variegado
á fala limpa do quetzal cromático.
Na Ponte Vecchio o vello Leonardo
sorría esperanzado. Tencionaba
poñer en marcha un artifício acuático.

Vitor Vaqueiro
Firenze, 20 de Xullo de 1979

Si se supiera
lo que algunos presienten y no dicen
desde que Hiroshima
                    les dejó sin habla

que la tercera guerra mundial
se ha declarado
                    que se muere
en los cuatro puntos cardinados
que crucifican la tierra en cruz gamada

lejos del parking en cómodos plazos
del supermercado de leches descremadas
de los paraísos de vacaciones invernales
de las familias de hijos únicos
                              amortizables
lejos del Louvre y de la poesía tónica
                              Tonic Poetry

lejos de las plazas rojas y las casas blancas
                                   si se supiera
que a los vietnamitas del Líbano les abren en canal en
                                   /Guatemala

mas no se inventó el napalm para Le Bois de Boulogne

ni la violada de El Salvador será miss Play Boy
                                          en abril

en esta guerra sólo se mata en los arrabales
el centro es ciudad abierta por mutuo acuerdo
entre el Bien y el Mal mientras la ciencia
                              del alma
calcula cómo calcular lo incalculable
                          por ejemplo
cuántos mueren cada día en Nicaragua
para legitimar nuestra esperanza de vida.*

                              M. Vázquez Montalbán

* Del libro inédito "Ciencias Cosmológicas".

nicaragua   elvis   te amo
me amo   en el bosco me amo
como un bosque y su fruto y su corteza
tu aún no habías nacido   nicaragua
te amo   elvis humilde camionero
niño humilde nicaragua
su mano en mi mano"   te amo y bailo
nicaragua
tu aún no habías nacido amor
elvis crecía como un oscuro trueno
tú relámpagos y tarde y lluvia
suave   índiga
tahalí y escorzo la soledad
el silencio   nicaragua como
una infancia habitada   te amo
el alcohol   ayer   "perro de caza"
doliéndote y el mordisco
aquí   ayer   en el principio el sueño
cómo no llorar   elvis habría cumplido años
si te mueres me muero
te amo a bocajarro
soy una perra que os ama

Julio Vélez

273

CANCION PARA ENSANCHAR EL GRITO

A los hijos de Tupác Amarú

Rompe los códigos
compañero, inventa
un lenguaje nuevo
donde uno
más uno
más uno,
la torre
horizontal
del Viento.

Miguel Veyrat

NICARAGUA*

Si yo fuera un joven de corazón limpio y romántico, sin duda apostaría en favor de la historia. Regalaría el pase de Rock Ola a un amigo y cogería ahora mismo el macuto con un par de mudas, el cepillo de dientes, el libro de los evangelios, o en su defecto un ejemplar del Quijote, y me iría a Nicaragua a disparar contra el pato Donald. Por desgracia, soy un señor demasiado fino y estoy totalmente corrompido por los derechos humanos de Occidente, que me permiten vivir con absoluta dignidad. Cuando viajo a Centroamérica me gusta leer *The New York Times* rodeado de miseria, adoro los zumos de papaya servidos por una linda mulata junto a la piscina del Hilton sobre un panorama de chabolas mientras ojeo un informe de Amnistía Internacional, acostumbro a regalar chicles al rebaño de niños desarrapados que me sigue desde el hotel hasta el Congreso de Escritores y hago todo lo posible para que unos campesinos muertos de hambre voten Democracia Cristiana en unas elecciones libres.

En este momento, Estados Unidos de Norteamérica, el máximo gigante del planeta, realiza la gran ficción de sentirse amenazado por una hormiga, aunque tal vez no se trate de un simulacro, sino de miedo real. Nicaragua es un pequeño país indefenso, pobre como una rata, cuyos habitantes han decidido quitarse el higo chumbo del culo y mirar al patrón cara a cara sin la necesaria humildad. Es lo que sucede siempre en los casos de rebelión. El peligro está en el ejemplo, no en los herrumbrosos arcabuces ni en los aviones Mig. De modo que el castigo debe ser ejemplar. Al cabecilla se le azota en la plaza pública, y los otros esclavos, desde los soportales, con la ceja baja, toman buena nota. Si yo fuera un joven de corazón limpio, aunque hubiera nacido en California, me alistaría en defensa de Nicaragua.

Al final sólo las causas perdidas mueven la historia. Pero desgraciadamente soy un fino occidental que se la coge con un papel de fumar. Sueño con una urna plantada en medio de la pocilga frente a una cola de gente depauperada que acude a votar libremente con un tomo de Montesquieu en la mano. La conciencia, por la noche, la guardo en la nevera.

Manuel Vicent

* Publicado en el diario EL PAIS.

ENSAYO GENERAL Y NICARAGUA

No menciones la obscura sombra negra
la paz y no la mientes
ni siquiera como hipótesis de trabajo
de un mal guión de cine.
Hierro sobre la cruz del norte y en la espada
la cruz de estrellas
y de barras gamadas
hierro flor de la muerte
y hierro y más hierro y balas
fulgor de sangre
fulgor desconsoladamente la pasión de los débiles
fulgor desesperadamente
y padecen.
Pero el mundo se viste se disfraza
de sonrisas
parabienes
de tú a tú
de estrella a estrella
de cruz gamada a barra.
Ensayo general
silencio apunten se rueda y se mata
toma primera y última
disparen.
Pero el mundo se viste de sonrisas
y la intelligentzia
la cultura los valores de occidenteUsa

los fantasmas
pero entonces se ponen el frac
y alzan su dedo sabio y sucio y ensimismado
y se disponen imperturbablemente
a presenciar la ejecución.
Como si fuera un western
y el fulgor de la sangre un efecto especial
del implacable
cinematógrafo universal de la infamia.

Javier Villán

MI ESPERANZA SE LLAMA NICARAGUA

Hoy me he encontrado más muerto que ayer y
                              /también
he encontrado que estamos todos muertos. Esta
                              /es la era
de los muertos vivos, máquinas muertas, aparatos
                              /muertos, naturalezas
muertas. Lo compruebo esta mañana fría de Illinois
en que los de siempre, en número menguante, protestan
                              /por
una guerra sucia —una más— contra un país pequeño que
quiere dar de comer a todos los que en él viven.
La osadía es notoria, porque quieren hacerlo sin el
                              /permiso
del águila del norte y rompiendo el libre juego del
                              /mercado
libre, la usura libre, la libre explotación, la libre
                              /dictadura
de los mercaderes y las armadas fuerzas. Y hoy, muerto
como estoy y sin ningún motivo de alegría, me repito
en esta gris mañana constelada de caras yertas y
cadáveres andando, grandes y bien portados: la
                              /realidad
es una y la esperanza es otra. La realidad es suya
y la esperanza es mía. La realidad está hecha de

máquinas y encuestas, muertes larvadas y mentiras dóciles
y ¡ah! , ¡oh! , sí, habita en el chalet —tan cuco— de la
libre empresa. La esperanza, por contra, es otra cosa.
La esperanza no tiene cuerpo, ni ocupa espacio, ni
amortaja pájaros. La esperanza está hecha de nubes y de
piedras en bruto, en espera de las líneas justas y
de simetría. La esperanza es de carne y está poblada toda
de mujeres, de niños, de hombres, de sudor y canciones.
La esperanza cambia de nombre, de lugar, de ruta y
propende a morir, apenas nubil. Y hoy en Madrid,
arrabal vergonzante del Imperio, cuando la muerte
me dora los recuerdos y los astutos de nuevo y viejo
cuño como siempre controlan la baraja, terca,
insistentemente y en español y en alto y aunque no
esté de moda, grito: Nicaragua es el límite y la
vida, hoy. Y aunque no importa, los hechos son concretos:
la realidad es suya, la esperanza nuestra.

Pablo Virumbrales

EL VENDE PERIODICOS

CERO POLIOMIELITIS
134.000 MANZANAS ENTREGADAS A LOS
/CAMPESINOS
15.600 TERRENOS Y VIVIENDAS PARA LOS
/POBRES
52.000 FAMILIAS RECIBIERON AGUA POTABLE
13.000 ADQUIEREN ENERGIA
DEVOLVERAN A MISKITOS Y SUMOS TIERRA
/USURPADA EN EL PASADO"

Ya noche
        bajo los semáforos
                    su cara amarilla
roja, verde
        y otra vez amarilla:

"MILES DE INTEGRAN A LOS CORTES DE CAFE
MIL SOMOCISTAS ATACAN DESDE HONDURAS
SANGRE DE SETENTA Y CINCO NIÑOS DERRA-
MADA EN LA MONTAÑA AL LADO DE LOS
COMBATES CONTINUARON LOS CORTES DE CAFE"

Con su paquete plástico que envuelve
    los últimos periódicos del día
                    y su camisa

281

como una vela ondeando
        sobre lo flaquito de su cuerpo:

"QUE CESEN LAS AGRESIONES DESDE TERRI-
TORIO HONDUREÑO
18 HERMANOS EPS HAN CAIDO EN LA ZONA
                                /NORTE
NACIONALIZADA LA DISTRIBUCION DEL JABON
                        /ACEITE Y HARINA
INQUILINOS TENDRAN CASA PROPIA
A INSCRIBIRSE EN LOS BATALLONES DE
                        /ALGODON
CORTES DE CAFE, UN TRIUNFO PARA EL
                        /PUEBLO"

Angel Pobre
anunciador de la historia
        con ojos brillantes de desvelo:

"A SECARSE LAS LAGRIMAS PARA AFINAR LA
                        /PUNTERIA
SE HARA JUSTICIA
                Y SERA DEFINITIVA."

                                Daysi Zamora

DOS PALABRAS

(A los niños de Nicaragua)

HACIENDAS, cafetales, son escuelas
donde aprendéis lectura, sumas, restas,
a jugar, a cantar, alegre coro...
Os cuidan con fervor maestras jóvenes...
Vuestros padres, confiados, labran, siembran,
cosechan el maíz, el arroz verde,
algodón y tabaco, todos juntos.
En solidarias rondas colectivas,
los proyectos dan fruto y enaltecen.
De sol a sol trabajan, mas felices
están porque vosotros, protegidos,
sabéis leer sin hambre que os hostigue.
La ignorancia de siglos se combate
en vosotros, oh niños inocentes.
Cada lección trabaja por la vida
de hoy y de mañana, contra guerras
de exterminio y escarnio, contra muertes
que brotan en suburbios y en la selva.
Del silabario nace la sapiencia,
las dignidades patrias y del hombre.
Vuestras morenas frentes hoy se inclinan
sobre libros y mapas... Los cuadernos

—entre líneas— dibujan la palabra
                    LIBERTAD
y cada letra roja, rebrillando,
emerge como un sol que nada eclipsa,
aunque las bombas —*made in USA*—, fuego
ardiendo, precipiten holocaustos.
En el renglón siguiente habéis escrito
otra palabra viva: N I C A R A G U A.
Dos palabras de amor y de esperanza
el corazón os llenan, vencen miedos.

Concha Zardoya
19.III.85.

INDICE

287

WET
10-15-88